Auxiliando a humanidade a encontrar a Verdade

OS CHACRAS

© 2009 - Conhecimento Editorial Ltda.

Os Chacras
C. W. Leadbeater

Todos os direitos desta edição reservados.
CONHECIMENTO EDITORIAL LTDA
www.edconhecimento.com.br
conhecimento@edconhecimento.com.br
Caixa Postal 404 - CEP 13480-970
Limeira - SP - Fone: 19 3451-0143

Nos termos da lei que resguarda os direitos autorais, é proibida a reprodução total ou parcial, de qualquer forma ou por qualquer meio — eletrônico ou mecânico, inclusive por processos xerográficos, de fotocópia e de gravação — sem permissão, por escrito, do editor.

Tradução:
Mariléa de Castro
Projeto Gráfico:
Sérgio Carvalho
Ilustrações:
Caio Cacau

ISBN 978-85-7618-192-7
1ª Edição - 2010

• Impresso no Brasil • *Presita en Brazilo*

Produzido no departamento gráfico da
EDITORA DO CONHECIMENTO
e-mail: grafica@edconhecimento.com.br

Dados Internacionais de Catalogação na Publicação (CIP)
(Câmara Brasileira do Livro, SP, Brasil)

Leadbeater, C.W. 1854-1934.
 Os Chacras / C. W. Leadbeater ; [tradução Mariléa de Castro ; ilustração Caio Cacau] — 1ª ed. — Limeira, SP : Editora do Conhecimento, 2010.

Título originail: *The chakras*
ISBN 978-85-7618-192-7

1.Chacras (Teosofia) 2. Espiritualidade 3. Teosofia I. Cacau, Caio. II Título.

09-12390   CDD -299.934
Índice para catálogo sistemático:
1. Chacras : Teosofia : Religião 299.934

C. W. Leadbeater

Os Chacras

1ª edição
2009

CLÁSSICOS DA TEOSOFIA: TÍTULOS EDITADOS

A Consciência do Átomo
Alice Bailey

Formas de Pensamento
C. W. Leadbeater e Annie Besant

O Homem Visível e Invisível
C. W. Leadbeater

As Vidas de Alcyone
C. W. Leadbeater e Annie Besant

Os Chacras
C. W. Leadbeater

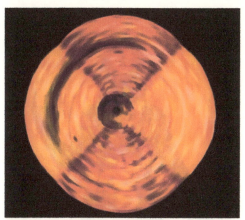

Prancha I: Chacra raiz ou básico

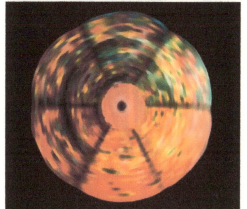

Prancha II: Chacra do baço

Prancha IV: Chacra do umbigo

Prancha III: Os chacras segundo Gichtel.

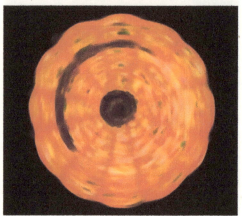
Prancha V: Chacra do coração

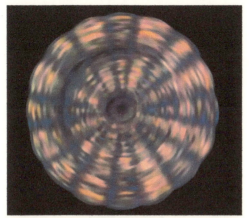

Prancha VII: Chacra laríngeo

Prancha IX: Chacra frontal

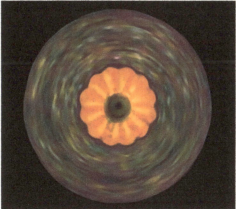

Prancha X: Chacra coronário

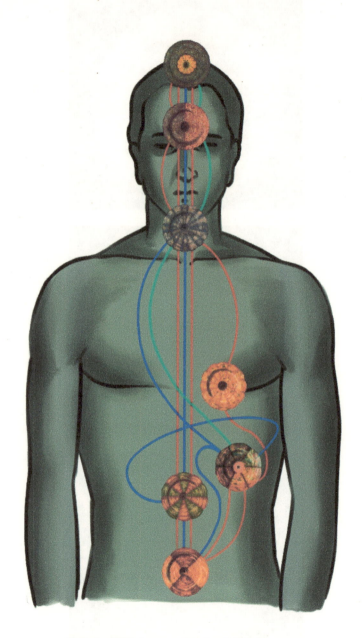

Prancha VIII: As correntes de vitalidade

Sumário

Capítulo 1
Os centros de força 11
Capítulo 2
As energias 33
Capítulo 3
A absorção da vitalidade 65
Capítulo 4
O desenvolvimento dos chacras 84
Capítulo 5
A Laya yoga 109

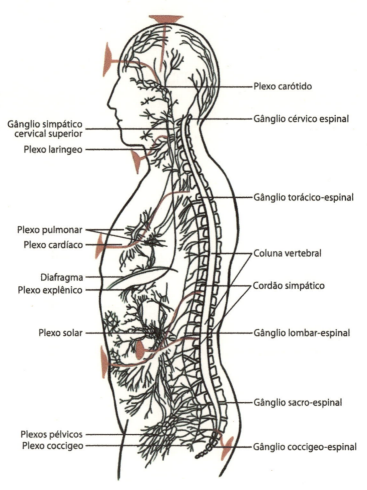

Prancha VI: Os chacras e o sistema nervoso

Capítulo I

Os centros de força

Significado da palavra

A palavra chacra é sânscrita, e significa roda. Também é utilizada em diversos outros sentidos derivados e simbólicos, como seu equivalente em inglês; como falamos da roda do destino, os budistas falam da roda da vida e da morte, e daquele grande sermão inicial em que o Senhor Buda apresentou sua doutrina como *Dhammachakkappavattana Sutta* (*chakka* é o equivalente em pali ao sânscrito chacra), que o professor Rhys Davids traduz poeticamente como "colocar em movimento a roda da carruagem real de um reino universal de verdade e justiça". Esse é o sentido da expressão para um budista devoto, embora a tradução literal dos termos seja "o giro da roda da Lei".

O significado do termo chacra que aqui nos interessa é o de uma série de vórtices semelhantes a rodas que existem na superfície do duplo etérico do homem.

Explicações preliminares

Como este livro provavelmente irá chegar às mãos de alguns que não se acham familiarizados com a terminologia teosófica, seria interessante colocar algumas explicações preliminares.

Nas conversas comuns e triviais as pessoas, às vezes, falam de sua alma – dando a entender que o corpo que usam para falar é a pessoa real, e que isso a que se chama alma é uma posse ou propriedade do corpo – uma espécie de balão cativo pairando acima dele, e ligado de forma indefinida. É uma afirmação vaga, inexata e enganosa; a verdade é exatamente o oposto. O ser humano *é* uma alma e possui um corpo – na verdade, vários corpos, pois além do veículo visível com o qual realiza suas ações neste mundo mais denso, possui outros, imperceptíveis à visão comum, com os quais interage com os mundos emocional e mental. Desses, no momento, não iremos ocupar-nos.

No século passado[1] se fez um grande progresso no conhecimento dos menores detalhes do corpo físico; os estudantes de medicina, atualmente, estão familiarizados com sua desconcertante complexidade, e têm pelo menos uma idéia geral de como funciona essa máquina incrivelmente complexa.

O duplo etérico

No entanto, é claro que têm limitado seu

---
1 Século XVIII (N.T.).

estudo àquela porção do corpo que, por sua densidade, é perceptível à visão, e a maioria deles seguramente não tem noção daquele outro tipo de matéria, ainda física porém invisível, a que na teosofia se dá o nome de etérica. Essa porção invisível do corpo físico é muito importante para nós, pois é o veículo através do qual fluem as correntes de vitalidade que mantêm a vida do corpo, e sem ele atuando como uma ponte a conduzir as vibrações do pensamento e do sentimento, do astral para a matéria física mais densa e visível, o ego não poderia utilizar as células do cérebro. O duplo etérico se mostra nitidamente à visão clarividente como uma névoa de cor violeta-acinzentada levemente luminosa, que interpenetra a porção densa do corpo físico, estendendo-se um pouquinho além dele.

A vida do corpo físico acha-se em contínua mudança e, para que possa existir, necessita ser constantemente alimentada por três fontes distintas. Precisa receber alimento para digerir, ar para respirar, e três tipos de vitalidade para absorver. Essa vitalidade é essencialmente energia, mas quando revestida de matéria se apresenta como um elemento químico altamente sutil. Existe em todos os planos, mas nosso objetivo no momento é analisar sua manifestação no plano físico.

Para compreender isso, precisamos saber algo da constituição e estrutura dessa porção etérica de nosso corpo físico. Tratei disso, anos atrás, em diversas obras, e o coronel Arthur E. Powell recentemente reuniu todas as informações até então publicadas, e organizou-as num livro intitulado *O Duplo Etérico*.

Os centros de força

Os chacras ou centros de força são pontos de conexão pelos quais a energia flui de um para outro veículo ou corpo humano. Qualquer um que possua um pequeno grau de clarividência pode

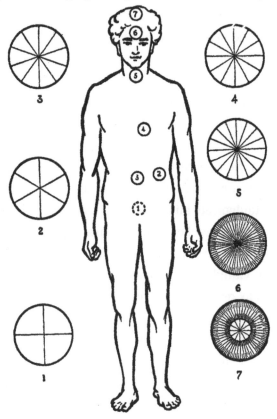

Figura 1 — Os chacras.

percebê-los facilmente na superfície do duplo etérico, onde aparecem como depressões em forma de discos ou vórtices. Quando escassamente desenvolvidos, mostram-se como pequenos círculos de cerca de cinco centímetros de diâmetro, que brilham fracamente na pessoa comum; mas quando despertos e desenvolvidos, aparecem como vórtices fulgurantes, resplandecentes, de tamanho muito maior, parecendo sóis em miniatura.

Às vezes nos referimos a eles como se correspondessem aproximadamente a certos órgãos físicos; mas, na realidade, eles se situam na superfície do duplo etérico, que se estende levemente além dos limites do corpo denso. Se nos imaginarmos olhando diretamente para a campânula de uma flor como as convolvuláceas, teremos uma idéia da aparência de um chacra. O talo de cada flor brota de um ponto situado dentro da coluna vertebral, portanto outra perspectiva nos mostraria esta como um caule central (vide prancha VI) da qual brotam a intervalos as flores, abrindo suas corolas à superfície do duplo etérico.

Os sete centros de que vamos tratar acham-se indicados na figura 1. A tabela 1 nos dá suas denominações em português e sânscrito.

Essas rodas acham-se em contínuo movimento, e no cubo ou centro aberto de cada uma flui continu-

Convolvulácea.

Tabela 1 — Os chacras		
Situação	**Nome sânscrito**	**Nome português**
Na base da espinha dorsal	Muladhara	Chacra raiz ou básico
	[1]	Chacra do baço
No umbigo, sobre o plexo solar	Manipura	Chacra do umbigo
Sobre o coração	Anahata	Chacra do coração
Na frente da garganta	Vishuddha	Chacra do laríngeo
Entre as sobrancelhas	Ajna	Chacra do frontal
No alto da cabeça	Sahasrara	Chacra coronário

amente a energia do plano superior – uma expressão da corrente de vida emitida do Segundo Aspecto do Logos Solar – a que chamamos de energia primária. Essa energia é de natureza setenária, e todas as suas modalidades atuam em todos os centros, embora uma delas predomine em cada um deles. Sem esse influxo de energia o corpo físico não poderia existir. Portanto, os centros funcionam em todas as pessoas, embora nas pouco evoluídas tenham um movimento relativamente mais lento, apenas criando o vórtice necessário ao fluir da energia e nada mais. Em uma pessoa mais evoluída, eles brilham e pulsam com

---

[1] O chacra esplênico não é indicado nas obras indianas; em seu lugar, aparece um centro chamado Svadhishthana, situado nas proximidades dos órgãos geradores, ao qual se atribuem as mesmas seis pétalas. Em nosso entender, o despertar desse centro seria um infortúnio, pois há sérios perigos implicados. No sistema egípcio de desenvolvimento, tomava-se elaboradas precauções para impedir esse despertar (Vide *A Vida Oculta da Maçonaria*).

uma luz vívida, e uma quantidade imensamente maior de energia passa através deles; em conseqüência, abrem-se para o homem outras faculdades e possibilidades.

O formato dos vórtices

A energia divina que se derrama em cada centro produz, em ângulo reto com ela (ou seja, na superfície do duplo etérico), forças secundárias em movimento ondulatório circular, exatamente como uma barra imantada colocada numa bobina de indução produz uma corrente elétrica que flui em torno da bobina em ângulo reto com o eixo ou direção do ímã.

A própria força original, ao entrar no vórtice, se irradia dele em ângulos retos, e em linhas retas, como se o centro do vórtice fosse o cubo de uma roda, e as irradiações da energia primária os seus raios. Por meio desses raios, como se fossem colchetes, a energia parece unir os corpos astral e etérico. O número de raios varia nos diversos centros de força, e determina o número de ondas ou pétalas que cada um apresenta. Em razão disso, esses centros muitas vezes foram mencionados em obras orientais como assemelhando-se a flores.

Cada uma das energias secundárias que se movem em torno da depressão em forma de pires do chacra possui seu próprio comprimento de onda, como a luz de determinada cor; mas em vez de se propagar em linha reta como a luz, se difunde em grandes ondulações de variadas extensões, cada uma delas sendo um múltiplo dos comprimentos de onda menores em seu interior. O número de ondulações é determinado pelo número de raios da roda, e a energia secundária ondula acima e abaixo das irradiações da energia primária como um trançado que se tramasse em torno dos raios de uma roda de carruagem.

Os comprimentos de onda são infinitesimais, e provavelmente milhares deles se incluem em cada ondulação. À medida que as energias giram em torno do vórtice, essas oscilações de diversos tamanhos, entrelaçando-se nessa trama, criam uma forma semelhante à da flor que mencionamos. Talvez se pareça mais com certos pratos ou vasos baixos de cristal ondulado iridescente, como os que se fazem em Veneza.[2] Essas ondulações ou pétalas apresentam aquela iridescência tremeluzente semelhante à madrepérola, porém cada uma tem uma cor predominante, como se verá em nossas ilustrações. Esse aspecto de prata nacarada é comparado, em obras em sânscrito, com o brilho da Lua sobre a água.

As ilustrações

Nossas ilustrações (pranchas) apresentam os chacras, vistos pela clarividência, em uma pessoa razoavelmente evoluída e inteligente, que já conseguiu fazê-los funcionar razoavelmente. É claro

---
[2] Cristais de Murano (N.T.)

que as cores não são luminosas como deveriam – nenhuma cor terrestre o seria; mas pelo menos as imagens darão uma idéia da verdadeira aparência dessas rodas de luz. Deve-se compreender, do que já foi dito, que os centros variam de tamanho e brilho entre as pessoas, e que até na mesma pessoa alguns serão mais desenvolvidos que outros. Os desenhos são em tamanho aproximadamente real, menos o sahasrara ou chacra coronário, que foi preciso aumentar a fim de mostrar sua maravilhosa riqueza de detalhes.

Quando se tratar de uma pessoa que supera em muito as qualidades que se manifestam por meio de um determinado centro, ele será não apenas muito maior, como intensamente brilhante, irradiando cintilantes raios dourados. Um exemplo pode ser visto na precipitação[3] da aura do sr. Stainton

---
[3] Nos primórdios da Sociedade Teosófica, produzia-se com freqüência o fenômeno a que era dado o nome de "precipitação", que nada mais era que uma materialização, geralmente de cartas, bilhetes ou desenhos de pessoas que se achavam distantes do local, inclusive de seres de outros planos, escritos com a letra característica do signatário. A obra *Cartas dos Mestre de Sabedoria* reúne inúmeras cartas assim produzidas. A sra. Blavatasky costumava produzir facilmente o fenômeno.
Em sua obra *Old Diary Leaves* (Folhas de um Velho Diário), no capítulo "Precipitação de imagens", o coronel Olcott assim descreve a "precipitação" a que alude Leadbeater, e que traduzimos do original:
"Helena P.Blavatsky produziu para mim uma pintura precipitada sobre cetim (...) Uma noite, no outono de 1876, ela e eu estávamos trabalhando, como de hábito (...) e começamos uma discussão sobre os princípios da projeção consciente do duplo (...) Finalmente, ela (...) propôs-se a mostrar-me uma imagem (...) e o fez sem demora (...) Tomou um pequeno rolo de cetim branco (...) e cortou um pedaço (...) colocou-o, com a face para baixo, diante dela, cobriu-o quase inteiramente com uma folha de papel mata-borrão limpa, e pousou os cotovelos sobre ele (...) Mantive os olhos fixos numa das pontas do cetim que aparecia (...) Então, erguendo o mata-borrão e virando o cetim, ela o passou a mim. Imaginem, se puderem, a minha surpresa! No lado brilhante do cetim estava um

Moses, que se conserva nos arquivos da Sociedade Teosófica em Adyar. Acha-se reproduzida, embora de forma bastante imperfeita, na página 364 do volume 1 de *Old Diary Leaves*, do coronel Olcott.

Os chacras dividem-se naturalmente em três grupos: os inferiores, os médios e os superiores; podem ser denominados respectivamente de fisiológicos, pessoais e espirituais.

O primeiro e o segundo chacras, que possuem poucos raios ou pétalas, destinam-se a captar para o corpo duas energias que procedem do plano físico – uma, o fogo serpentino que provém da Terra, e a outra, a vitalidade que vem do Sol. Os chacras médios, de números 3, 4 e 5, relacionam-se às energias que chegam ao homem por meio de sua personalidade – do nível inferior do astral, ao centro nº 3, do astral superior ao centro nº 4, e do mental inferior ao centro nº 5. Todos esses centros alimentam determinados gânglios do corpo. Os centros 6 e 7 são diferentes dos demais, e conectados respectivamente com as glândulas pituitária e pineal; entram em ação apenas quando se atinge um determinado grau de

---

notável retrato, em cores. Um excelente retrato do busto de Stainton Moses, como era à época (...) Do alto da cabeça se irradiavam raios de luz dourada; nos plexos cardíaco e solar havia luzes vermelhas e douradas (...) a cabeça e o tórax estavam envoltos em nuvens de puro azul, com flocos dourados; e na parte inferior, onde devia estar o corpo, nuvens rosadas e acinzentadas (...) Àquela altura (...) eu não sabia nada sobre os chacras (...) e não entendi o que significavam os dois vórtices flamejantes sobre as regiões cardíaca e umbilical".
Uma nota a essa passagem diz: "Como o processo da fotografia ainda não chegou ao ponto de fotografar em cores, nossa imagem reproduz muito imperfeitamente a pintura original feita em cetim" (N.T.).

desenvolvimento espiritual.

Tenho ouvido dizer que cada uma das pétalas desses centros de força representa uma qualidade moral, cujo desenvolvimento coloca o centro em movimento. Por exemplo, no *Dhyanabindu Upanishad*, as pétalas do chacra cardíaco são associadas com devoção, preguiça, ira, caridade e outras análogas. Ainda não encontrei evidências que o confirmem definitivamente, e não é fácil entender como isso poderia acontecer, porque o aspecto do chacra resulta da ação de determinadas energias facilmente identificáveis, e as pétalas de qualquer um deles estarão ativas ou inativas dependendo de se essas energias tiverem sido despertas ou não, e sua abertura, ao que tudo indica, teria tanta relação com a moralidade quanto o tem o desenvolvimento dos bíceps.

Já encontrei, de fato, pessoas em que alguns centros se encontravam em plena atividade, embora a evolução moral não fosse particularmente elevada, enquanto em outras, de elevada espiritualidade e da mais nobre moral, os centros estavam escassamente vitalizados; portanto, parece que não existe necessariamente uma conexão entre o desenvolvimento de um e outro aspecto.

Contudo, pode-se observar algumas características que poderiam ser a origem dessa curiosa idéia. Embora a aparência das pétalas resulte das mesmas energias que fluem constantemente em torno do centro, passando alternadamente acima e abaixo de cada raio, esses raios diferem em sua natureza porque a força que flui se subdivide em seus componentes ou qualidades, e assim cada raio irradia um aspecto particular, embora as variações sejam mínimas. A energia secundária, ao passar por cada raio, é de alguma forma alterada por sua influência, e em consequência muda um pouco o seu tom. Algumas dessas nuanças de cor podem indicar um aspecto da energia que auxilie o desenvolvimento de uma qualidade moral, e quando essa qualidade aumentar, a vibração correspondente será intensificada. Dessa forma, a tonalidade mais intensa ou mais fraca poderia ser tomada como um indício da presença em maior ou menor grau daquele atributo.

O chacra raiz

O primeiro ou centro básico (prancha I), na base da coluna vertebral, possui uma energia primária que se irradia para o exterior em quatro raios, e portanto suas ondulações se dispõem de forma a criar um efeito de divisão em quatro quadrantes, que se alternam nas cores vermelho e laranja, com hiatos entre eles. Isso faz com que pareça o símbolo da cruz, e por esse motivo muitas vezes se usa uma cruz para simbolizar esse centro, e às vezes uma cruz flamejante para indicar o fogo serpentino que reside nele. Quando em movimento, esse chacra é de cor vermelho-alaranjada ígnea, em estreita correspondência com o tipo de energia vital que recebe do centro esplênico. Na verdade, pode-se constatar que cada um dos chacras tem uma relação semelhante com a cor de sua energia vitalizadora.

O chacra esplênico

O segundo centro, o esplênico (prancha II), sobre o baço, se dedica a especializar, subdividir e distribuir a vitalidade que nos chega do Sol. Essa força vital se derrama do chacra por seis correntes horizontais, enquanto a sétima é atraída para o centro da roda. Este centro, portanto, possui seis pétalas ou ondulações, de diferentes cores, e é extraordinariamente brilhante, radioso e semelhante a um sol. Cada uma das seis divisões da roda apresenta a cor predominante de um dos tipos da força vital – vermelho, laranja, amarelo, verde, azul e violeta.

O chacra umbilical

O terceiro centro, o umbilical (prancha IV), no umbigo ou plexo solar, recebe uma energia primária com dez radiações, portanto vibra de maneira a dividir-se em dez ondulações ou pétalas. É intimamente associado com os sentimentos e emoções de diversos tipos. Sua cor predominante é uma curiosa mistura de diversos tons de vermelho, embora também haja muito verde. As subdivisões são, alternadamente, mais vermelhas ou mais verdes.

O chacra cardíaco

O quarto centro, o cardíaco (prancha V), sobre o coração, é de uma radiosa cor dourada, e cada um de seus quadrantes se divide em três partes, o que resulta em doze ondulações, porque sua energia primária produz doze raios.

O chacra laríngeo

O quinto centro, o laríngeo (prancha VII), sobre a garganta, tem dezesseis raios, portanto parece ter dezesseis partes. Possui bastante azul, mas o efeito geral é prateado e oscilante, parecendo o efeito do luar sobre a água ondulada. O azul e o verde predominam alternadamente em suas pétalas.

O chacra frontral

O sexto centro, o frontal (prancha IX), entre as sobrancelhas, parece dividido em duas metades, uma predominantemente rosa, embora também com bastante amarelo, e a outra onde predomina um tipo de azul púrpura, as cores dos tipos específicos de força vital que o animam. Talvez por isso ele seja descrito em obras da Índia como possuindo somente duas pétalas, embora, se formos contar as ondulações como as dos centros anteriores, encontremos cada metade subdividida em 48 delas, somando ao todo noventa e seis, porque sua energia primária ostenta esse número de radiações.

Esse salto súbito de 16 para 96 raios, e depois

a variação ainda mais surpreendente de 96 para 972 entre este chacra e o próximo, indica que temos aqui centros de um tipo totalmente diverso daquele de que estivemos tratando. Ainda não conhecemos todos os fatores que determinam o número de raios de um chacra, mas é evidente que significam graus de variação da energia primária.

Antes que possamos dizer mais, é preciso fazer centenas de observações e comparações – fazer, repetir e verificar muitas e muitas vezes. Enquanto isso, uma coisa é certa: embora as necessidades da personalidade possam ser supridas por uma quantidade limitada de tipos de energia, nos níveis mais elevados e permanentes do homem encontramos uma complexidade e multiplicidade que requer, para sua expressão, uma gama consideravelmente mais ampla de modalidades de energia.

O chacra coronário

O sétimo centro, o coronário (vide frontispício), no alto da cabeça, quando em plena atividade é o mais brilhante de todos, pleno de indescritíveis reflexos cromáticos, e vibrando com rapidez quase inconcebível. Parecer conter todas as cores prismáticas, mas em seu todo predomina o violeta.

Nas obras indianas dizem ter mil pétalas, o que não está longe da verdade, pois o número de radiações da energia primária no círculo exterior é de 960. Tudo isso se acha fielmente reproduzido em nosso frontispício, embora dificilmente seja possível representar o aspecto das pétalas individuais.

Além disso, ele possui uma estrutura que nenhum dos outros chacras apresenta – uma espécie de vórtice subsidiário central, de um branco brilhante, com uma irradiação dourada no centro – uma energia secundária com doze ondulações próprias.

Este chacra é, em geral, o último a ser desperto. No começo, é do mesmo tamanho que os outros, mas à medida que o homem progride na Senda da evolução espiritual, ele aumenta até recobrir quase todo o alto da cabeça. Outra peculiaridade acompanha o seu desenvolvimento. De início, ele é uma depressão do corpo etérico, como todos os demais, pois através dele, como de todos os outros, a energia divina flui de fora para dentro; mas quando o homem toma consciência de seu lugar como um herdeiro da luz divina, dispensando generosidade a tudo que o cerca, esse chacra sofre uma reversão como de dentro para fora; não é mais um canal de recepção mas de irradiação; em vez de uma depressão, torna-se uma proeminência, elevando-se acima da cabeça como uma cúpula, uma verdadeira coroa de glória.

Nos quadros e estátuas orientais das divindades e de grandes seres, essa proeminência aparece com freqüência. Na figura 2 ela aparece na cabeça da estátua do Senhor Buda em Borobudur, Java. Essa é a forma convencional de representá-la, e assim pode ser encontrada sobre a cabeça de milhares de imagens do Senhor Buda por todo o Oriente. Em alguns casos vê-se que foram representadas as duas camadas do chacra Sahasrara – a saliência maior de 960 pétalas, e sobre ela a menor, de 12 pétalas.

A imagem da direita da figura 2 é a cabeça de Brahma do Hokkedo de Todai-ji, em Nara, no Japão (que data de 749 d.C.); e pode-se ver que a estátua tem um ornamento de cabeça que procura representar este chacra, embora de forma diferente da anterior, mostrando a coroa de chamas projetando-se dele.

Figura 2 – Representações do chacra coronário.

Ele aparece também na simbologia cristã, nas coroas usadas pelos vinte e quatro anciãos que a depõem eternamente diante do trono de Deus. No homem altamente evoluído, o chacra coronário refulge com tanto esplendor que se torna uma verdadeira coroa; e o significado dessa passagem da escritura é que tudo que o homem adquiriu, todo o magnífico carma que gera, e a maravilhosa energia que produz — tudo isso ele coloca perpetuamente aos pés do Logos, para ser usado em seu trabalho. Assim, ele pode repetidamente depor sua coroa dourada, pois ela se refaz permanentemente à medida que a energia brota de seu interior.

Outros relatos sobre os centros

Esses sete centros de força são com freqüência descritos na literatura sânscrita, em alguns dos Upanishads menores, nos Puranas e em obras tântricas. São utilizados hoje por muitos iogues indianos. Um amigo nosso, familiarizado com a cultura espiritual da Índia, diz conhecer uma doutrina daquele país que faz uso explícito dos chacras – uma corrente que conta como membros cerca de dezesseis mil pessoas, distribuídas num grande território.

Há muitas informações interessantes sobre o assunto em fontes hindus, e buscaremos resumi-las, com comentários, num capítulo adiante.

Parece que também alguns místicos europeus se achavam familiarizados com os chacras. Temos evidências disso em um livro intitulado *Theosophia Practica*, do conhecido místico alemão Joham Georg Gichtel, discípulo de Jacob Boehme, que provavelmente pertenceu à sociedade secreta dos rosacruzes. Nossa prancha III foi copiada dessa obra, com a permissão dos editores. Esse livro foi originalmente publicado em 1696, embora na edição de 1736 se diga que as ilustrações – de que a obra constitui basicamente uma descrição – foram publicadas apenas uns dez anos após a morte do autor, ocorrida em 1710. Deve-se distinguir o livro de uma compilação da correspondência de Gichtel publicada sob o mesmo título de *Theosophia Practica;* a obra em questão não tem a forma de cartas, e consiste de seis capítulos que tratam daquela transformação mística que foi um princípio tão importante para os rosacruzes.

A ilustração que incluímos aqui foi reproduzida da tradução francesa de *Theosophia Practica*, publicado em 1897 na *Bibliothèque Rosicrucienne* (nº 4), pela Bibliotheque Chacornac, Paris.

Gichtel, que nasceu em 1638 em Ratisbona, na Baviera, estudou teologia e direito e exerceu a advocacia; mas depois, tendo adquirido consciência do mundo espiritual interno, abandonou os assuntos mundanos e tornou-se o fundador de um movimento místico cristão. Opondo-se à ortodoxia ignorante da época, atraiu para si o a ira dos que atacava, e em conseqüência, por volta de 1670, foi banido, e seus bens confiscados. Por fim encontrou refúgio na Holanda, onde viveu durante seus últimos quarenta anos.

Ele, evidentemente, considerava secretas as figuras publicadas em sua *Teosophia Practica*; ao que parece, permaneceram restritas ao pequeno círculo de seus discípulos durante muitos anos. Ele dizia que tinham sido obtidas por uma iluminação interior – possivelmente o que, hoje, denominaríamos faculdades clarividentes. Na página de rosto do livro ele declara que é "Uma breve exposição sobre os três princípios dos três mundos no homem, ilustrados em imagens claras, mostrando como e onde se situam seus respectivos centros no homem interno; conforme o autor percebeu em si próprio em divina contemplação, e de acordo com o que sentiu, provou e observou".

Como muitos místicos de seu tempo, falta a Gichtel a exatidão que deveria caracterizar o ocultismo e o misticismo; em sua descrição das figuras, ele insere digressões prolixas, embora muitas vezes interessantes, das dificuldades e problemas da vida espiritual. Como descrição dessas ilustrações, contudo, seu livro não teve êxito. Talvez ele não se atrevesse a dizer demais; ou talvez quisesse fazer com que os leitores aprendessem a ver por si próprios aquilo de que tratava. Parece provável que em conseqüência da vida realmente espiritualizada que levava, ele tenha desenvolvido a clarividência suficiente para perceber os chacras, mas não tivesse noção de sua verdadeira natureza e atuação, e por isso, ao tentar explicá-los, aplicou a eles o simbolismo próprio da escola de misticismo a que pertencia.

Ele trata, como veremos, do homem comum num estágio de ignorância, portanto talvez tenha uma desculpa por ser um pouco pessimista sobre seus chacras. Passa sem comentários pelo primeiro e segundo deles (possivelmente por saber que têm relação principalmente com funções fisiológicas), mas considera o plexo solar como a fonte da ira – o que de fato é. Vê o centro cardíaco repleto de amor-próprio, o laríngeo de inveja e avareza; e os centros mais elevados da cabeça, para ele, irradiam orgulho.

Ele atribui planetas aos chacras, sendo a Lua do básico, Mercúrio do esplênico, Vênus do umbilical, o Sol do cardíaco (embora haja uma serpente enrolada em torno dele), Marte ao laríngeo, Júpiter ao frontal, e Saturno ao coronário. E nos diz também que o fogo reside no coração, a água no fígado, a terra nos pulmões, e o ar na bexiga.

Cabe notar que ele traça uma espiral que começa na serpente que circunda o coração e passa por todos os centros; mas não se consegue ver uma razão clara para a ordem em que eles são conectados. O simbolismo do cão correndo não é explicado, portanto podemos interpretá-lo como desejarmos.

O autor coloca depois uma imagem do homem regenerado pelo Cristo, que esmagou a serpente, onde substitui o Sol pelo Sagrado Coração vertendo sangue de forma terrível.

O interesse dessa figura para nós não reside, porém, nas interpretações do autor, mas no fato de que mostra, sem possibilidade de erro, que pelo menos alguns dos místicos do século dezessete conheciam a existência e a localização dos sete centros no corpo humano.

Outras evidências de um conhecimento antigo desses centros de força encontram-se nos rituais da maçonaria, cujos pontos mais notáveis chegaram até nós de épocas imemoriais; os monumentos nos mostram que esses pontos eram conhecidos e utilizados no Egito antigo, e foram transmitidos fielmente até os nossos dias.

Contam-se entre os segredos dos maçons que, ao fazer uso deles, realmente estimulam alguns desses centros, em seu trabalho, embora em geral saibam pouco ou nada do que acontece além dos limites da visão comum. Naturalmente, aqui é impossível dar explicações, mas descrevi o quanto é permitido do assunto em *A Vida Oculta da Maçonaria*.

Capítulo 2

As energias

A energia primária ou da vida

A divindade emana de Si diversas formas de energia; pode haver centenas delas das quais não temos conhecimento, mas algumas já foram detectadas. Cada uma delas tem sua manifestação própria, em cada nível conhecido de nossos estudantes; mas por ora, vamos considerá-las como se apresentam no mundo físico. Uma delas é conhecida como eletricidade, outra como o fogo serpentino, outra como vitalidade, e outra ainda como a energia da vida, que é diferente da vitalidade, como veremos.

O estudante que queira descobrir sua origem e relacionar umas às outras necessita um esforço paciente e continuado. À época em que reuni na obra *O Lado Oculto das Coisas* as respostas às questões levantadas em anos anteriores nos encontros de Adyar, eu conhecia a manifestação, no plano físico, da energia de vida, do kundalini e da vitalidade, mas não a relação delas com as Três Emanações da Divindade, e portanto as tratei como totalmente diversas e separadas destas. Pesquisas posteriores me permitiram preencher essa lacuna, e fico satisfeito de ter agora a oportunidade de corrigir as indicações dadas anteriormemente.

Há três forças principais que fluem através dos chacras, e podemos considerá-las como representantes dos três aspectos do Logos. A energia que se derrama na abertura em forma de sino do chacra, e produz uma segunda força circular em relação a si mesma, é uma das expressões da Segunda Emanação, do Segundo Aspecto do Logos[1] – aquela corrente de vida que é enviada por Ele para a matéria já vitalizada pela ação do Terceiro Aspecto do Logos, na Primeira Emanação. Isso é simbolizado na doutrina cristã quando se diz que o Cristo encarna (ou toma forma) do Espírito Santo e da Virgem Maria. Essa Segunda Emanação, muito tempo antes, havia se subdividido de forma quase infinita; e não apenas isso, mas havia se diferenciado – quer dizer, parece que o fez. Na realidade, é quase certo que se trata apenas de maya, ou ilusão, através da qual a percebemos agindo. Manifesta-se por meio de milhões de incontáveis canais, expressando-se em todos os planos e subplanos de nosso sistema, e no entanto, é fundamentalmente a mesma e única força, e não

---

[1] Para melhor compreensão, vide *O Homem Visível e Invisível*, do autor, Ed. do Conhecimento (N.T.).

pode ser confundida de forma alguma com aquela Primeira Emanação que muito tempo antes havia composto os elementos químicos com os quais esta Segunda Emanação constrói seus veículos em todos os planos. É como se algumas de suas manifestações fossem mais baixas e densas, porque utiliza matéria desse tipo; ao nível búdico, a vemos aparecer como o princípio crístico, expandindo-se e desabrochando imperceptivelmente no espírito do homem; nos corpos astral e mental, diversos níveis de matéria são vivificados por ela, e percebemos diversas manifestações suas nos níveis mais altos do astral sob a forma de emoções elevadas, e na parte inferior desse veículo como simples impulso de energia de vida vitalizando a matéria do corpo.

Em sua condensação mais baixa, reveste-se de um véu de matéria etérica, e derrama-se do corpo astral pelas campânulas dos chacras, à superfície do duplo etérico. Ali se encontra com outra força que brota do interior do corpo – a misteriosa energia chamada *kundalini* ou fogo serpentino.

O Fogo Serpentino

Essa energia constitui a manifestação, no plano físico, de outro dos inúmeros aspectos do poder do Logos, e faz parte da Primeira Emanação, que provem do Terceiro Aspecto. Existe em todos os planos que conhecemos; mas é sua manifestação na matéria etérica a que hoje conhecemos. Não pode se transformar nem na força primária já mencionada nem na força vital que vem do Sol, e não é afetada de modo algum por qualquer espécie de energia física. Já vi penetrarem em um corpo humano 1.250.000 volts de eletricidade, de forma que quando a pessoa erguia o braço, enormes flamas se desprendiam de seus dedos, embora não sentisse nada de mais, nem corresse o risco de qualquer queimadura, a menos que tocasse em algo – e nem essa imensa descarga de energia teve qualquer efeito sobre o fogo serpentino.

Sabemos há muito que nas profundezas da Terra existe o que se pode chamar de o laboratório do Terceiro Logos. Se tentarmos investigar o que existe no centro do planeta, encontraremos uma vasta esfera de tão tremenda força, que não conseguiremos aproximar-nos. Podemos entrar em contato apenas com seus níveis exteriores; e ao fazer isso, torna-se evidente que eles guardam uma relação sintônica com os níveis de *kundalini* do corpo humano. O Terceiro Logos deve ter derramado a sua força nesse centro em épocas passadas, e ainda se acha trabalhando ali. Dedica-se a desenvolver gradualmente novos elementos químicos, de complexidade crescente, e uma vida ou atividade interna cada vez mais intensa.

Os que estudam química conhecem a Tabela Periódica estabelecida pelo químico russo Mendeleiev no final do século XVIII, na qual os elementos químicos conhecidos acham-se dispostos pela ordem de seu peso atômico, iniciando com o mais leve, o hidrogênio, que tem peso atômico 1, e terminando com o mais pesado que se conhece atualmente, o urânio, com o peso de 238,5.[2] Em nossa pesquisa pessoal do assunto verificamos que os pesos atômicos são quase exatamente proporcionais ao número de átomos ultérrimos de cada elemento; esses números se acham relacionados na obra *Química Oculta*, assim como a forma e composição de cada elemento.

Em sua maioria, as formas que encontramos ao examinar os elementos com a visão etérica indicam – como na Tabela Periódica – que esses elementos se desenvolveram numa ordem cíclica; não se ordenaram em linha reta, mas numa espiral ascendente. Foi-nos dito que os elementos hidrogênio, oxigênio e nitrogênio (que compõem cerca de metade da crosta terrestre e quase toda sua atmosfera) também fazem parte de outro sistema solar maior; os demais elementos, porém, foram criados pelo nosso Logos. Ele continua a expandir a espiral além do urânio, em condições de temperatura e pressão inconcebíveis por nós. E aos poucos, à medida que se formam novos elementos, são lançados para cima, em direção à superfície da Terra.

A energia da *kundalini* em nossos corpos

---
[2] Mendeleiev publicou sua tabela em 1869, quando se conhecia 60 elementos. Depois da época deste texto, descobriu-se os transurânicos. Hoje, incluindo os sintéticos, temos 118 elementos na Tabela Periódica, que a partir de 1913 passou a ordená-los não mais pelo peso, mas pelo número atômico (N.T.).

provém daquele laboratório do Espírito Santo nas profundezas do planeta. Faz parte desse tremendo fogo do interior da Terra.

Ele difere radicalmente do fogo da vitalidade que provém do Sol, que iremos descrever. Este se relaciona com o ar, a luz e os grandes espaços abertos; mas o fogo das profundezas é mais material, como o do ferro em brasa, ou do metal incandescente.

Essa tremenda força tem um lado terrível; dá a impressão de descer cada vez mais profundamente na matéria, movendo-se lenta mas irresistivelmente, com implacável determinação.

O fogo serpentino não é aquela energia com a qual o Terceiro Logos está formando elementos químicos cada vez mais densos. É mais como um desdobramento daquela energia que se encontra no centro vivo de elementos como o radium. É parte da atividade do Terceiro Logos depois que atingiu o ponto mais baixo de sua imersão na matéria, e está novamente subindo de retorno às alturas de que proveio.

Já sabemos que a segunda onda de vida, do Segundo Logos, desce à matéria através do primeiro, segundo e terceiro reinos elementais, até o mineral, e depois ascende novamente através do vegetal e do animal até o reino humano, onde encontra a energia descendente do Primeiro Logos. Isso está indicado na figura 3, em que a linha oval que representa a Segunda Emanação

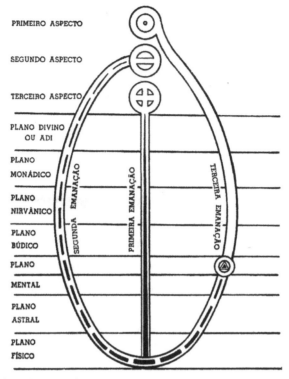

Figura 3 — As três emanações ou ondas de vida.

desce à esquerda, chega ao seu ponto mais denso na parte de baixo da figura, e depois sobe na linha curva à direita.

Vemos também que a energia do Terceiro Logos também retorna depois de atingir o ponto mais baixo, e imaginemos que a linha vertical do centro da figura retorna sobre si mesma. *Kundalini* é a energia dessa Emanação em seu trajeto de retorno, e atua nos corpos das criaturas em evolução, em estreito contato com a energia primária que já mencionamos; as duas atuam em conjunto para conduzir os seres até o ponto em que possam receber a Emanação do Primeiro Logos, e tornarem-se um ego, um ser humano, e ainda impulsionam os seus veículos depois disso.

Assim é que absorvemos a energia divina tanto da terra abaixo de nós como do céu acima; somos tanto filhos da Terra como do Sol. Ambos se encontram em nós, e operam em conjunto para nossa evolução. Não podemos ter um sem o outro, Mas se um deles se encontrar em excesso, há sérios riscos. Daí vem o risco de desenvolver-se os níveis mais profundos do fogo serpentino antes que a vida do homem seja pura e equilibrada.

Já escutamos muito a respeito desse misterioso fogo e do perigo de despertá-lo prematuramente, e muito do que ouvimos é indiscutivelmente verdadeiro.

Existe, de fato, um sério risco em despertar os níveis mais elevados dessa tremenda energia no homem, antes que ele tenha adquirido o poder de controlá-la, antes que possua a pureza de vida e de pensamento que é a única garantia de poder liberar com segurança um poder tão tremendo.

Mas a *kundalini* desempenha um papel muito maior na vida quotidiana do que a maioria de nós supôs até agora; existe uma modalidade muito menos intensa e mais suave dela já desperta em nós, e que é não apenas inofensiva como benéfica, e que age o tempo todo, embora sejamos totalmente inconscientes de sua atuação. Já identificamos essa energia, que se distribui ao longo dos nervos, e a denominamos de fluido nervoso, não a reconhecendo pelo que realmente é. Ao analisá-la e buscar-lhe a fonte, verificamos que penetra no corpo humano através do chacra básico.

Como todas as energias, a *kundalini* é invisível; mas no corpo humano ela se reveste de um curioso invólucro de esferas concêntricas de matéria astral e etérica, uma dentro da outra como as bolas de um quebra-cabeças chinês. Existem sete dessas esferas concêntricas dentro do chacra básico, dentro e em torno da última câmara ou cavidade da espinha dorsal, junto ao coccix; mas no homem comum, a energia acha-se ativada apenas na esfera exterior. Nas demais, encontra-se "adormecida", como se diz em alguns textos orientais; apenas quando o homem desperta a energia latente nesses níveis internos é que as perigosas conseqüências desse fogo se manifestam. A energia inofensiva das camadas externas sobe pela coluna vertebral, utilizando (pelo que constatamos até agora) os três condutos sushumna, ida e pingala de modo simultâneo.

Os três condutos espinais

A sra. Blavatsky, na *Doutrina Secreta*, assim se refere a essas três correntes que fluem dentro e em torno da medula espinal de todas as pessoas:

> A escola trans-himalaica... situa *sush-*

umna, o principal desses três *nadis,* no conduto central da medula espinal... *ida* e *pingala* são apenas os sustenidos e bemóis desse fá da constituição humana...e, quando estimulados adequadamente, despertam os vigias de cada lado, o *manas* espiritual e o *kama* físico, e subjugam o inferior ao superior.

É o puro *akasha* que sobe por *sushumna*; suas duas modalidades fluem por *ida* e *pingala*. São três éteres vitais, e são representados pelo cordão bramânico. São comandados pela vontade. Vontade e desejo são o aspecto superior e inferior da mesma coisa. Daí a importância da pureza dos canais...A partir dos três se estabelece a circulação, e do central passa ao resto do corpo.

Ida e *pingala* atuam ao longo da parede curva da medula em que se localiza *sushumna*. São semimateriais, positivo e negativo, Sol e Lua, e colocam em atividade a corrente livre e espiritual de *sushumna*. Têm suas próprias vias, pois senão se irradiariam por todo o corpo.

Em A *Vida Oculta da Maçonaria* mencionei certo uso que se faz dessas forças:

> Faz parte do propósito da maçonaria estimular a atividade dessas forças no corpo humano, para que se acelere a evolução. A estimulação ocorre quando o V. M. cria, recebe e constitui o neófito; no Primeiro Grau atua sobre *ida* ou o aspecto feminino da energia, facilitando ao candidato o controle das paixões e da emoção; no Segundo Grau, é reforçado *pingala*, o aspecto masculino, para facilitar o controle da mente; mas no Terceiro Grau, é a própria energia central, *sushumna*, que é despertada, assim abrindo caminho para a atuação do puro espírito, do alto.

Passando por esse canal de *sushumna* é que um yogue abandona seu corpo físico à vontade, e de forma que conserva a plena consciência dos planos superiores, e traz de volta ao cérebro físico a memória perfeita de suas experiências. As imagens abaixo (figura 4) dão uma indicação geral de como essas energias fluem no corpo humano; no homem, *Ida* começa na base da espinha, à esquerda de *sushumna*, e *pingala* à direita (entenda-se a direita e a esquerda da pessoa, não de quem olha); mas na mulher, essas posições são trocadas. Os condutos terminam na medula oblongada.

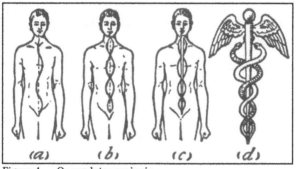

Figura 4 — Os condutos espinais.

A coluna vertebral é chamada, na Índia, de Brahmadand, o bastão de Brahma; e o desenho da figura 4 (d) mostra que é também a origem do caduceu de Mercúrio, cujas duas serpentes simbolizam a *kundalini* ou fogo serpentino que deve ser posto em movimento ao longo desses canais, enquanto as asas simbolizam o poder de voar conscientemente nos planos superiores, que é conferido pelo desenvolvimento desse fogo.

A figura 4 (a) mostra *ida* estimulado após a iniciação no Primeiro Grau; esse canal é de cor carmim; na passagem, é acrescentado o canal amarelo de *pingala*, mostrado na figura 4 (b); e no despertar, o conjunto é completado pela corrente azul-profundo de *sushumna*, ilustrado na figura 4 (c).

A ***kundalini***, que normalmente sobe por esses canais, é modificada durante esse fluxo ascendente, de duas maneiras. Ela tem uma curiosa combinação de qualidades positivas e negativas que poderiam quase ser chamadas de femininas e masculinas. No conjunto, há uma grande preponderância do aspecto feminino, o que talvez seja o motivo de, nas obras hindus, essa força ser sempre tratada como "ela"; e talvez por que a "câmara do coração", onde é focalizada a ***kundalini***, em algumas modalidades de yoga seja chamada, em *A Voz do Silêncio*, de o lar da Mãe do Mundo.

Mas quando o fogo serpentino deixa sua origem no chacra básico e sobe pelos três canais de que tratamos, é de notar-se que a porção que sobe pelo canal *pingala* é quase totalmente masculina, enquanto a que sobe por *ida* é quase inteiramente feminina. A grande corrente que sobe por *sushumna* parece guardar as proporções originais.

A segunda alteração que acontece na passagem dessa energia ao subir pela coluna vertebral é que ela fica intensamente impregnada da personalidade da pessoa. Ela penetra no início como uma energia de caráter geral, e sai no alto caracterizada como o fluido nervoso de cada um, levando consigo a marca de suas qualidades e idiossincrasias particulares, que se manifestam nas vibrações dos centros espinais, que podem ser considerados as raízes de que brotam os caules dos chacras.

O casamento das energias

Embora a boca dos chacras, em forma de corola de flor, se situe na superfície do corpo etérico, o caule dessa flor sempre brota de um centro na medula espinal. Quando as obras hindus falam dos chacras, é sempre a esses centros da espinha que se referem, não a suas extensões na superfície. Um caule etérico, geralmente curvado para baixo, conecta cada raiz, dentro da espinha, com o chacra externo (vide prancha VI). Como os caules de todos os chacras começam na medula espinal, essa energia naturalmente flui por eles para as corolas; ali, encontra a corrente de vida divina que chega, e a tensão resultante desse encontro produz a irradiação dessas duas forças conjuntas, horizontalmente, em todos nos raios do chacra.

As corrente da energia primária e da *kundalini* se encontram nesse local, enquanto giram em direções contrárias, e cria-se uma tensão considerável. Esse fato é simbolizado pelo "casamento" da vida divina, que é acentuadamente masculina, com a *kundalini*, que é sempre considerada principalmente feminina, e a energia composta que resulta é o que geralmente se denomina magnetismo pessoal do ser humano; ela então vivifica os plexos que se encontram na proximidade de mui-

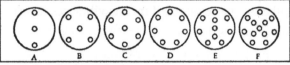

Figura 5 — Configuração das energias.

tos chacras; flui ao longo dos nervos do corpo, e é a principal responsável por manter a temperatura dele. Leva consigo a vitalidade que foi absorvida e especializada pelo chacra esplênico.

Quando as duas forças se combinam como acima descrito, há um certo entrosamento de algumas de suas moléculas. A energia primária é capaz de revestir-se de diferentes tipos de formas etéricas; a que adota com mais freqüência é a de um octaedro, composto de quatro átomos[3] dispostos num quadrado, com um átomo central vibrando para cima e para baixo no centro do quadrado, em ângulo reto com ele. Às vezes também utiliza uma pequena molécula extremamente ágil composta de três átomos.

A *kundalini* geralmente se reveste de um disco plano de sete átomos, enquanto o globo de vitalidade, que também se compõe de sete átomos, os dispõe num plano que se assemelha ao da energia primária, exceto por formar um hexágono em vez de um quadrado. A figura 5 poderá auxiliar o leitor a visualizar essas estruturas.

A e B são formas assumidas pela energia pri-

---

[3] O termo "átomo" utilizado aqui e no resto do livro refere-se, não ao um átomo químico, mas ao tipo básico de matéria do subplano mais elevado de cada plano da natureza. De forma análoga, "molécula" indica um conjunto desses átomos, agrupados de forma similar à dos átomos químicos quando formam as moléculas.

mária, C é a adotada pelos glóbulos de vitalidade, e D a da *kundalini*. E é a resultante da combinação de A e D; F, a de B e D. Em A, B e C, o átomo central vibra de forma rápida e contínua em ângulo reto com a superfície da folha, elevando-se a uma altura maior que o diâmetro do disco, e depois mergulhando abaixo a igual distância, repetindo esse movimento de lançadeira várias vezes por segundo (Naturalmente entende-se que é uma imagem relativa, não literal; na verdade, a esfera que esse disco representa é tão minúscula que se torna invisível ao mais potente microscópio; mas em proporção a seu tamanho, a vibração é tal como descrevemos).

Em D. o único movimento é um constante deslocamento em torno do círculo, mas existe uma enorme energia latente, que se manifesta assim que ocorrem as combinações, o que tentamos ilustrar em E e F. Os dois átomos positivos de A e B continuam, quando associados dessa forma, sua intensa atividade –na verdade, ela se intensifica muito. Os átomos de D, embora continuem se deslocando na mesma trajetória circular, sofrem uma aceleração tão grande que deixam de ser vistos como átomos individuais e aparecem como um anel brilhante. As quatro primeiras moléculas acima descritas se incluem no tipo a que, em *Química Oculta*, a dra. Besant denomina de matéria hiper-meta-proto-elemental. De fato, podem ser idênticas a algumas que ela representou nessa obra. Mas E e F, sendo compostas, devem ser consideradas como pertencentes ao próximo subplano, que ela chama de superetérico; e portanto, seriam classificadas como meta-protomatéria. O tipo B é muito mais comum que o A, e conclui-se naturalmente que no fluido nervoso que resulta de sua conjunção encontra-se muito mais exemplos de F e E. Esse fluido nervoso é, pois, uma corrente composta de vários elementos, contendo representantes de cada um dos tipos da figura 4 – simples e compostos, casados e solteiros, solteirões, solteironas e casais, todos atuando juntos.

O movimento para cima e para baixo, extraordinariamente ativo, do átomo central, nas combinações E e F, lhes confere uma forma bastante incomum dentro de seus campos magnéticos, conforme mostra a figura 6.

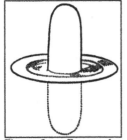

Figura 6 — Formas das energias combinadas.

A parte superior dessa imagem me parece muito semelhante à do *linga*, que com freqüência se vê na fachada dos templos de Shiva, na Índia. Dizem-nos que o *linga* é o símbolo do poder criador, e que os devotos hindus crêem que se estende no interior da Terra na mesma extensão em que se eleva acima. Tenho me perguntado se os antigos hindus conheceriam essa molécula extremamente ágil, e na enorme importância do papel que desempenha na manutenção da vida humana e animal; e se eles teriam esculpido o seu símbolo em pedra para registrar esse conhecimento oculto.

O sistema simpático

A anatomia descreve dois tipos de sistema nervoso no corpo humano – o cérebro-espinal[4] e o simpático. O cérebro-espinal começa no cérebro, continua na medula espinal, e se ramifica em todas as partes do corpo por meio dos gânglios, dos quais saem os nervos que se estendem entre as vertebras. O sistema simpático consiste de duas cadeias que correm ao longo de quase toda a coluna vertebral, à direita e à esquerda dela. Dos gânglios dessas duas cadeias, não tão numerosos quanto os da cadeia espinal, saem os nervos do sistema simpático, para formar a rede chamada de plexos, dos quais, por sua vez, como de relés, saem os gânglios menores e os nervos. Contudo, os dois sistemas se relacionam entre si de tantas maneiras, por nervos que os conectam, que não devemos pensar neles como duas estruturas nervosas distintas.

Além disso, temos um terceiro grupo, os nervos vagos, que nascem da medula oblonga, e descem independentes por todo o corpo, conectando-se constantemente com os nervos e plexos dos outros sistemas.

A medula espinal, a cadeia simpática esquer-

---
[4] Hoje mais conhecido como Sistema Nervoso Central, com os nervos e gânglios formando o Sistema Nervoso Periférico; já o Sistema Nervoso Autônomo ou Vegetativo inclui o simpático e o parassimpático (ou vago), um com atividade estimuladora, outro com ação moderadora. (N.T.)

da, e o nervo vago esquerdo são mostrados na prancha VI. Ali aparecem as conexões nervosas entre os gânglios espinais e simpáticos, e os canais pelos quais este fornece nervos para formar os principais plexos do sistema simpático. Veremos que existe uma tendência dos plexos a inclinar-se para os gânglios dos quais se originam – assim, por exemplo, o plexo celíaco ou solar apóia-se muito no grande nervo esplênico, que em nossa figura aparece originando-se do quinto gânglio torácico simpático, que por sua vez se conecta com o quarto gânglio torácico espinal. Este encontra-se quase à altura do coração, na horizontal, mas o nervo desce e se encontra com os nervos esplênicos menores, até os mais pequenos, que emergem dos gânglios torácicos mais abaixo, os quais atravessam o diafragma e vão ao plexo solar.

Existem também outras conexões entre esse plexo e as cadeias ganglionares, que aparecem um pouco nessa prancha, mas são complicadas demais para descrever. Os nervos principais que vão ao plexo cardíaco voltam-se para baixo de forma similar. Quanto ao plexo faríngeo, há apenas uma ligeira inclinação, e o plexo carotídeo ergue-se mais acima a partir do nervo carotídeo interno, vindo do gânglio cervical simpático superior.

Os centros da coluna vertebral

Há uma inclinação semelhante na haste etérica que conecta as flores ou chacras da superfície

\multicolumn{5}{c}{Tabela 2 — O chacras e os plexos}
Nome do chacra	Posição na superfície do duplo etérico	Posição aproximada do chacra espinal	Plexos simpáticos	Principais plexos subsidiários
Fundamental	Na base da espinha	Quarta vértebra sacra	Coccígeo	
Explênico	Sobre o baço	Primeira lombar	Esplênico	
Umbilical	Sobre o umbigo	Primeira torácica	Solar	Hepático, pilórico, gástrico, mesentérico etc.
Cardíaco	Sobre o coração	Oitava cervical	Cardíaco	Pulmonar, coronário etc
Laríngeo	Na garganta	Terceira cervical	Faríngeo	
Frontal	Entre as sobrancelhas	Primeira cervical	Carotídeo	Cavernoso e em geral os encefálicos

do duplo etérico com os centros correspondentes na coluna vertebral, situados aproximadamente nas posições indicadas em vermelho na prancha VI, e detalhadas na tabela 2. Os raios cintilantes dos chacras transmitem energia a esses plexos simpáticos para auxiliá-los em sua tarefa de relés; no nosso estágio atual de conhecimento, parece-me precipitado identificar os chacras com os plexos, como alguns autores têm feito.

Os plexos hipogástricos ou pélvicos são sem dúvida conectados de alguma forma com o chacra svadhisthana, situado perto dos órgãos geradores, e que é mencionado em obras indianas, mas não é utilizado em nosso plano de evolução. Os plexos agrupados nessa região provavelmente são subordinados ao plexo solar, em todos os aspectos da atividade consciente, já que tanto eles como o plexo esplênico se conectam estreitamente a ele através de numerosos nervos.

O chacra coronário não é conectado a nenhum dos plexos simpáticos do corpo físico, mas associado às glândulas pineal e pituitária, como veremos no capítulo IV. Tem relação também com o desenvolvimento do cérebro e do conjunto dos nervos espinais.

A respeito da origem e relações dos sistemas nervosos simpático e cérebro-espinal, a dra. Annie Besant escreveu, em *A Study in Consciousness:*

> Vejamos como a construção do sistema nervoso, através de impulsos vibratórios do astral, começa e se desenvolve. Temos um pequeno grupo de células nervosas e minúsculas conexões unindo-as. Isso se forma pela ação de um centro que surgiu antes no corpo astral – um agregado de matéria astral organizado para constituir um centro de recepção e resposta a estímulos do exterior. Desse centro astral, as vibrações passam ao corpo etérico, produzindo pequenos redemoinhos etéricos que atraem para dentro deles partículas da matéria física mais densa, formando por fim uma célula nervosa, e grupos delas. Esses centros físicos, ao receberem vibrações do mundo externo, enviam estímulos de volta aos centros astrais, aumentando sua vibração; dessa forma, os centros físicos e astrais agem e reagem uns sobre os outros, e cada qual se torna mais complexo e eficiente.
> À medida que ascendemos no animal, vemos

o sistema nervoso aperfeiçoando-se constantemente, e tornado-se cada vez mais um ator dominante no corpo; esse sistema inicialmente formado transforma-se, nos vertebrados, no sistema simpático, que controla e vivifica os órgãos vitais – coração, pulmões, aparelho digestivo; a par disso, desenvolve-se lentamente o sistema cérebro-espinal, que em sua atuação inicial é intimamente associado ao simpático, e torna-se gradualmente e cada vez mais dominante, constituindo-se, em seu máximo de desenvolvimento, no órgão específico para a expressão da "consciência desperta". Esse sistema cérebro-espinal é construído pelos estímulos originados do plano mental, não do astral, e só se relaciona indiretamente com o astral, através do sistema simpático, que é construído desde o astral.[5]

A vitalidade

Todos conhecemos a sensação de alegria e bem-estar que nos dá a luz solar, mas somente os estudantes de ocultismo têm plena noção dos motivos disso. Ao mesmo tempo que o Sol banha o sistema de luz e calor, derrama nele uma outra energia até agora desconhecida pela ciência moderna – à qual se dá o nome de "vitalidade". Ela se irradia em todos os níveis, e se manifesta em todos os planos – físico, emocional, mental e nos demais – porém no momento vamos nos deter em sua manifestação no mais denso, onde ela penetra nos átomos físicos, aumenta extraordinariamente sua atividade, e os torna vívidos e brilhantes.

Não se deve confundir essa energia com a

---

5 Opus cit., pp. 104-105

eletricidade, embora em alguns sentidos se lhe assemelhe, pois sua atuação difere de muitos modos daquela da eletricidade, da luz e do calor. Todas as variantes destas produzem oscilações no átomo como um todo – oscilações cuja amplitude é enorme, se comparada com a dimensão do átomo; mas aquela energia a que denominamos vitalidade chega ao átomo não de fora, mas do interior dele.

O átomo em si é apenas a manifestação de uma energia; a Divindade Solar projeta uma forma a que chamamos átomo físico ultérrimo (figura 7) e com esse esforço de Sua vontade quatorze bilhões de "bolhas no Koilon" são mantidas nessa forma específica. É preciso sublinhar que a coesão das bolhas nessa forma depende inteiramente dessa vontade, e se ela cessasse por um só instante, as bolhas se separariam novamente, e todo o plano físico simplesmente deixaria de existir mais rápido que um relâmpago. Portanto, é verdade que o mundo é apenas ilusão, inclusive sob esse ponto de vista, sem falar que as bolhas que constituem o átomo são elas próprias apenas furos no Koilon, o verdadeiro éter do espaço.

Figura 7 – Átomo físico ultérrimo.

Portanto, é a

força de vontade da Divindade Solar, exercida continuamente, que mantém o átomo coeso dessa forma; e quando se busca analisar a ação dessa força, se vê que ela não penetra no átomo do exterior, mas brota de seu interior – o que significa que penetra nele a partir de dimensões mais elevadas.

O mesmo se dá com relação a essa energia a que denominamos vitalidade; ela penetra o átomo vinda do interior dele, juntamente com a força que o mantém coeso, em vez de atuar sobre ele do exterior, como essas outras modalidades de energia a que chamamos de luz, calor ou eletricidade.

Quando a vitalidade brota assim dentro de um átomo, o dota de mais vida, e lhe dá uma força de atração tal que ele imediatamente atrai a seu redor seis outros átomos, que dispõe de uma forma específica, assim criando um elemento subatômico ou hiper-meta-proto-elemento, como já explicamos. Esse elemento difere de todos os demais já mencionados, pelo fato de que a energia que o produz e mantém unido provém do Primeiro Aspecto da Divindade Solar, em vez do Terceiro.

Esses glóbulos são diferentes de todos os outros que se pode ver flutuando na atmosfera, em razão de seu brilho e intensa atividade – a vida extremamente animada que possuem. São, provavelmente, as vidas ígneas mencionadas com freqüência pela sra. Blavatsky, como, por exemplo, na *Doutrina Secreta*, volume I, página 306, onde escreve:

> ...dizem-nos que todas as alterações fisiológicas... não, a própria vida, ou os fenômenos objetivos da vida, resultantes de certas condições e mudanças nos tecidos do corpo, que permitem e fazem com que a vida atue nesse corpo – tudo isso é devido a esses invisíveis "criadores" e "destruidores" a que se denomina, de forma ampla e geral, micróbios. Poder-se-ia supor que essas Vidas Ígneas e os micróbios da ciência sejam a mesma coisa. Não é assim. As vidas ígneas são a sétima e mais elevada subdivisão do plano físico, e correspondem no indivíduo à Vida Una do Universo, embora só no plano físico.

Embora a energia que vivifica esses glóbulos seja bem diversa da luz, parece depender dela para poder manifestar-se. Em dias ensolarados, essa vitalidade jorra constantemente, e os glóbulos são gerados com grande rapidez e em quantidade incrível, mas em dias nublados diminuem muito, e durante a noite, tanto quanto pudemos observar, a operação fica totalmente suspensa. Portanto, pode-se dizer que durante a noite vivemos do que foi produzido nos dias anteriores, e embora seja praticamente impossível que essa reserva possa jamais exaurir-se totalmente, ela sem dúvida fica baixa quando há uma longa sucessão de dias nublados. O glóbulo de vitalidade, uma vez energizado, permanece um elemento subatômico, e não experimenta qualquer alteração ou perda de energia a não ser e até que seja absorvido por um ser vivo.

A reserva de glóbulos

A vitalidade, como a luz e o calor, se irradia do Sol continuamente, mas muitas vezes há obstáculos que impedem que toda essa quantidade chegue à Terra. Nos climas frios e melancólicos que indevidamente se denominam de temperados, sucede com freqüência que durante dias seguidos o céu fica encoberto por um manto sombrio de nuvens pesadas, e isso afeta a vitalidade tanto quanto a luminosidade; não impede totalmente a sua passagem, mas diminui sensivelmente a sua proporção. Em conseqüência, nos dias fechados e escuros a vitalidade fica baixa, e todos os seres vivos anseiam instintivamente pela luz do Sol.

Quando os átomos de vitalidade se acham assim escassamente distribuídos, as pessoas de saúde vigorosa aumentam sua capacidade de absorção, buscam-nos em uma área maior, e assim mantêm suas forças ao nível normal; porém os enfermos ou pessoas com pouca força nervosa, que não conseguem fazê-lo, com freqüência são bastante afetados, e sentem-se mais fracos e irritáveis sem saber por quê.

Pelo mesmo motivo, a vitalidade fica em nível mais baixo no inverno que no verão, pois mesmo que os curtos dias hibernais sejam ensolarados, o que é raro, ainda há a longa e sombria noite durante a qual temos que sustentar-nos com a vitalidade que foi difundida na atmosfera durante o dia. Por outro lado, os longos dias de verão, se claros e sem nuvens, carregam a atmosfera de tão grande vitalidade que as curtas noites não fazem grande diferença.

Ao estudar a questão da vitalidade, o ocultista não pode deixar de reconhecer que, além da temperatura, a luz solar é um dos fatores mais importantes para a conquista e manutenção da saúde perfeita – um fator cuja ausência nada mais pode compensar inteiramente. Como essa vitalidade se difunde não apenas no plano físico, mas também sobre todos os outros, é evidente que, se as demais condições forem satisfatórias, o intelecto e a espiritualidade estarão em seu máximo com o céu claro e o inestimável auxílio da luz solar.

Energias físicas

As três energias já mencionadas – a primária, a vitalidade e a *kundalini* – não se relacionam diretamente com a vida mental e emocional do homem, apenas com sua saúde física.

Mas também penetram nos chacras forças que podem ser classificadas como psíquicas e espirituais. Os primeiros dois não apresentam nenhuma dessas, mas o chacra umbilical e os outros mais elevados são portas de entrada para energias que influenciam a consciência humana.

Em um texto sobre Centros do Pensamento da obra *A Vida Interna,* expliquei que aglomerados de pensamentos são coisas bem definidas, e ocupam um lugar no espaço. Os pensamentos sobre o mesmo assunto tendem a se agregar; assim, para muitos assuntos existe um centro de pensamento, num espaço específico na atmosfera, e outros pensamentos sobre o mesmo assunto são atraídos para ele, aumentando sua extensão e influência. Um pensador pode, dessa forma, contribuir para um centro, e por sua vez ser influenciado por ele; e esta é uma das razões pelas quais as pessoas pensam como rebanhos, como ovelhas. É muito mais fácil, para um homem de mentalidade preguiçosa, aceitar um pensamento pronto de alguém do que efetuar o esforço mental de examinar os diversos ângulos de um assunto e chegar a uma decisão por si próprio.

Isso é verdadeiro no plano mental em relação ao pensamento; e, com as devidas modificações, também no plano astral, com referência aos sentimentos. O pensamento voa como o raio através da matéria sutil do plano mental, e assim os pensamentos de toda a humanidade sobre determinado assunto podem com facilidade juntar-se num só lugar, e ficar acessíveis e atrair todos os que pensarem sobre o mesmo tema.

A matéria astral, embora mais sutil que a física, é mais densa que a do plano mental; as grandes nuvens de "formas emocionais" que são criadas no plano astral por intensos sentimentos, não se dirigem todas a um único centro no planeta, mas juntam-se a outras de mesma natureza na vizinhança, e assim enormes e poderosos "blocos" de sentimentos flutuam em quase todos os locais, e uma pessoa pode entrar facilmente em contato e ser por eles influenciada.

A relação disso com o nosso tema reside no fato de que quando essa influência ocorre, o é por meio de um dos chacras. Para exemplificar, vejamos o exemplo de um homem cheio de medo. Os que leram a obra *O Homem Visível e Invisível*[6] hão de lembrar que o estado desse homem é mostrado na prancha XIV daquela obra. As vibrações irradiadas por um corpo astral nessas condições de imediato irão atrair nuvens de medo que estejam nas proximidades; se o homem se recobrar em seguida, dominando o medo, as nuvens se afastarão, mas se o medo permanecer ou aumentar, descarregarão sua energia acumulada em seu chacra umbilical, e seu medo pode se transformar em pânico alucinado, fazendo-o perder o controle, e atirar-se cegamente em qualquer espécie de perigo.

Do mesmo modo alguém que se irrita atrai nuvens de cólera, e fica à mercê de uma descarga de emoção que pode transformar sua indignação em fúria desvairada – um estado em que poderá cometer um assassinato arrastado por um impulso irresistível, quase sem saber o que faz.

De maneira análoga, uma pessoa que se entrega à depressão pode mergulhar num terrível estado de melancolia permanente, ou alguém que

---

6 *O Homem Visível e Invisível*, C. W. Leadbeater, **EDITORA DO CONHECIMENTO**.

se permita ser obcecado por desejos animalizados pode se tornar por momentos um monstro de luxúria e sensualidade, e sob essa influência cometer crimes cuja lembrança o deixará horrorizado quando recobrar a razão.

Todas essas influências indesejáveis atingem a pessoa através do chacra umbilical. Felizmente existem outras possibilidades mais elevadas; por exemplo, há nuvens de amor e devoção, e quem experimenta esses nobres sentimentos pode receber por meio do chacra cardíaco uma magnífica intensificação deles, conforme descrevemos nas pranchas XI e XII de *O Homem Visível e Invisível*.

As emoções que afetam o chacra umbilical da forma acima descrita são tratadas na obra *A Study in Consciousness*, da dra. Besant, que divide as emoções em dois tipos, as de amor e as de ódio. As de ódio atuam no chacra umbilical, mas as de amor atuam no coração. Diz ela:

> Vimos que o desejo tem duas expressões principais: o desejo de atrair, a fim de possuir, ou entrar em contato com qualquer objeto que já tenha produzido prazer; e desejo de repelir, para manter afastado, ou evitar contato com qualquer objeto que já tenha produzido sofrimento. Vimos que a atração e a repulsão são as duas formas de desejo que agitam o Eu.
> O sentimento, sendo o desejo adicionado de intelecto, mostrará inevitavelmente a mesma divisão dual. O sentimento que se caracteriza por atrair, atraindo os objetos um para o outro pelo prazer, a energia integradora do Universo, é chamado de amor. O sentimento

que se caracteriza pela repulsão, afastando os objetos um do outro pelo sofrimento, a energia desintegradora do Universo, é chamada de ódio. Estas são as duas hastes que brotam da raiz do desejo, e todos os ramos dos sentimentos podem ser relacionados com um ou outro deles.

Daí as características do desejo e dos sentimentos; o amor busca trazer para si o objeto atraente, ou ir em busca dele, a fim de unir-se com ele, possuí-lo ou ser possuído por ele. Liga pelo prazer, a felicidade, como faz o desejo. Seus laços são mais duradouros e complexos, e compostos por fios mais numerosos e sutis, entrelaçados com maior complexidade, mas a essência da atração do desejo, a união de dois objetos, é a essência da atração emocional, do amor. Assim também o ódio busca afastar o objeto de repulsa ou fugir dele, para distanciar-se, repelir ou ser repelido por ele. Afasta pelo sofrimento, pela infelicidade. Portanto, a essência da repulsão do desejo, o distanciamento de dois objetos, é a essência da repulsão emocional, do ódio. O amor e o ódio são as duas formas, elaboradas e adicionadas de intelecto, dos simples desejos de possuir e evitar.

A seguir, a dra. Besant explica que esses dois grandes sentimentos se subdividem em três, conforme a pessoa que os sinta se ache fraca ou forte:

O amor que olha para baixo é a benevolência; o que olha para cima é a reverência; e essas são as características comuns do amor dos superiores pelos inferiores, e vice-versa. As relações normais de marido e mulher, e de irmãos e irmãs, nos dão elementos para estudar a expressão do amor entre iguais. Vemos que o amor se manifesta como ternura e confiança mútuas, consideração, respeito, desejo de agradar, percepção e vontade

> de realizar os desejos do outro, magnanimidade, indulgência. Encontramos aqui os elementos do amor do superior pelo inferior, mas todos se caracterizam por serem mútuos. Dessa forma, pode-se dizer que a característica comum do amor entre iguais é o desejo de auxílio mútuo.
> Temos então benevolência, desejo de auxílio mútuo e reverência como as três principais divisões do sentimento de amor, e nelas se podem classificar todos os sentimentos de amor, pois todas as relações humanas podem ser resumidas nessas três classes: as de superiores para inferiores, de iguais para iguais, de inferiores para superiores.

Depois ela explica os sentimentos de ódio da mesma maneira:

> O ódio que olha para baixo é desprezo, e o que olha para cima, medo. O ódio entre iguais se expressa como raiva, combatividade, desrespeito, violência, agressividade, inveja, insolência etc – todas as emoções que distanciam as pessoas quando se colocam frente a frente como antagonistas, não de mãos dadas. A característica comum do ódio entre iguais será então o dano mútuo. E as três características principais do sentimento de ódio são o desprezo, o desejo mútuo de causar dano, e o medo.
> O amor se caracteriza, em todas as suas manifestações, pela compaixão, o autossacrifício, o desejo de dar; são os seus elementos essenciais, seja como benevolência, desejo de auxilio mútuo ou reverência. Todos eles produzem atração, trazem união, e são a verdadeira natureza do amor. Portanto, o amor é do espírito; pois a compaixão é sentir por outro o que a pessoa sente por si mesma; o auto-sacrifício é o reconhecimento da necessidade do outro; dar é a condição da vida

espiritual. O amor, pois, pertence ao espírito, ao aspecto 'vida' do Universo.

O ódio, por outro lado, se caracteriza, em todas as suas manifestações, por aversão, auto-engrandecimento, desejo de tomar; são os seus elementos essenciais, seja como desprezo, desejo de produzir danos mútuos, ou medo. Todos eles causam repulsão, distanciando uns dos outros. Portanto, o desejo pertence à matéria, estimula a multiplicidade e as diferenças, é essencialmente separatividade, e pertence ao aspecto 'forma' do Universo.

Capítulo │3

A absorção da vitalidade

O glóbulo de vitalidade

O glóbulo de vitalidade, embora inconcebivelmente pequeno, é tão brilhante que muitas vezes é visto por aqueles que não são clarividentes no sentido comum. Muitas pessoas, ao olhar para o horizonte longínquo, especialmente no mar, podem perceber contra o céu uma quantidade de minúsculos pontos de luz movendo-se em todas as direções com incrível velocidade. São os glóbulos de vitalidade, cada qual consistindo de sete átomos físicos, como é indicado na figura 5-C – as vidas ígneas, partículas carregadas com a energia que os hindus chamam de prana. Muitas vezes é extremamente difícil ter certeza da nuança exata de significado dos termos sânscritos, porque o método indiano de abordar estes estudos é muito diferente do nosso; mas penso que podemos com segurança considerar prana como o equivalente à nossa vitalidade.

Quando esse glóbulo está cintilando na atmosfera, brilhante como é, mostra-se quase incolor, e brilha com uma luz branca ou levemente dourada. Assim, porém, que penetra no vórtice do centro de força do baço, se decompõe e divide em correntes de diversas cores, embora não siga exatamente a nossa divisão do espectro. Quando os átomos que compõem o glóbulo giram em torno do vórtice do chacra, cada um dos raios deste apodera-se de um átomo; todos os átomos carregados de amarelo fluem por um raio, os carregados de vermelho por outro, e assim sucessivamente, enquanto o sétimo penetra no centro do vórtice – como se fosse no cubo da roda. Esses raios então se encaminham a diversos pontos, cada um para realizar sua tarefa específica na vitalização do corpo. A prancha VIII é um diagrama que indica as diversas trajetórias do prana que se dispersa.

Como foi dito, as cores em que se divide o prana não são exatamente aquelas que comumente conhecemos no espectro solar, mas se assemelham mais às que vemos nos planos mais elevados, nos corpos causal, mental e astral.

O que chamamos de índigo se divide nos raios violeta e azul, portanto há somente duas resultantes em vez de três; por outro lado, o que geralmente chamamos de vermelho se divide em dois – vermelho rosado e vermelho escuro. As suas radiações, portanto, são: violeta, azul, verde, amarelo, laranja e vermelho escuro, enquanto a sétima, ou o átomo vermelho-rosado (que é mais exatamente o primeiro raio, pois é o átomo original em que a energia se manifesta primeiro) penetra no centro do vórtice.

A vitalidade, pois, é nitidamente sétupla em sua constituição, porém flui pelo corpo em cinco correntes principais, como dizem algumas obras indianas, já que depois de sair do centro esplênico, o azul e o violeta se unem em um único raio, e o mesmo fazem o laranja e o vermelho escuro.

O raio azul-violeta

O raio azul-violeta se lança para cima, para a garganta, onde se divide: o azul claro fica, para penetrar no chacra laríngeo e ativá-lo, enquanto o azul escuro e violeta segue para o cérebro. O azul escuro se dissemina nas regiões inferior e central do cérebro, enquanto o violeta banha a parte superior, ativando especialmente o centro de força no alto da cabeça, espalhando-se principalmente pelas 960 pétalas da parte externa do chacra.

O raio amarelo

O raio amarelo se dirige para o coração, mas depois de completar seu trabalho ali, uma parte também vai para o cérebro e se difunde nele, dirigindo-se principalmente para a corola de doze pétalas no centro do chacra coronário.

O raio verde

O raio verde banha o abdôme, e embora

focalizando-se especialmente no plexo solar, naturalmente vivifica o fígado, os rins e intestinos, e o aparelho digestivo em geral.

O raio rosa

O raio rosa percorre todo o corpo ao longo dos nervos, e é sem dúvida a vida do sistema nervoso. Essa é a vitalidade específica que uma pessoa pode transmitir a outra que esteja deficiente dela. Se os nervos não estiverem suficientemente supridos dessa luz rosada, tornam-se sensíveis e extremamente irritáveis, e é quase impossível à pessoa ficar quieta numa posição, mas também não se sente melhor se a trocar. O menor ruído ou toque é penoso para ela, que fica em estado lastimável. Se uma pessoa saudável transmitir a seus nervos esse prana, há um alívio imediato, e uma sensação de bem-estar e paz a envolve.

Uma pessoa de perfeita saúde em geral absorve muito mais dessa vitalidade do que seu organismo necessita, e então irradia permanentemente uma corrente de átomos róseos, e assim, de forma inconsciente, transfunde energia nos semelhantes sem sentir nenhuma falta; ou, por uma ação deliberada, pode reunir essa energia que lhe sobra e dirigi-la para alguém a quem queira ajudar.

O corpo físico possui uma consciência instintiva própria à qual às vezes chamamos de elemental físico. Corresponde, no plano físico, ao elemental do desejo do corpo astral; e essa consciência procura sempre proteger o corpo de qualquer perigo, ou buscar para ele tudo que seja necessário. Isso acontece totalmente à parte da consciência da pessoa, e atua da mesma forma na ausência do ego do corpo físico, durante o sono. Todas as nossas atividades instintivas são devidas a ela, e é graças a isso que a atuação do sistema simpático se mantém sem cessar, sem que precisemos pensar ou tomar conhecimento disso.

Enquanto nos encontramos no estado a que denominamos de desperto, o elemental físico está permanentemente ocupado na autodefesa; acha-se em estado de vigilância constante, e mantém os nervos e músculos em tensão.

Durante a noite ou a qualquer momento em que dormimos, ele relaxa os nervos e músculos, e se dedica especialmente à assimilação da vitalidade e à recuperação do corpo físico. Consegue isso com mais eficiência durante a primeira parte da noite, porque há bastante vitalidade, enquanto um pouco antes do amanhecer a vitalidade que foi produzida pelo sol acha-se quase totalmente gasta. Esse é o motivo da sensação de fraqueza e apatia associada às primeiras horas da madrugada; e também a razão pela qual muitos enfermos morrem nesse horário. É a mesma noção que se encontra no velho aforismo que diz que uma hora de sono antes da meia-noite vale por duas depois dela. A ação desse elemental físico explica o grande poder de recuperação do sono, que se observa com frequência, mesmo em um rápido cochilo. Essa vitalidade é de fato o alimento do duplo etérico, e é tão necessária para ele quanto o alimento material para a parte mais densa do corpo físico. Daí que, quando o centro esplênico fica incapaz (como na doença, no cansaço ou na idade muito avançada) de elaborar a vitalidade para nutrir as células do corpo, esse elemental físico procura absorver para seu uso a vitalidade elaborada por corpos alheios; por isso acontece muitas vezes que nos sentimos fracos e exaustos depois de estarmos algum tempo com uma pessoa com falta de vitalidade, porque ela absorveu os átomos rosados de nós antes que pudéssemos extrair-lhes a energia.

O reino vegetal também absorve essa vitalidade, mas na maioria dos casos utiliza apenas uma pequena porção dela. Algumas árvores extraem dela quase exatamente os mesmos elementos que os níveis mais elevados do corpo etérico do homem, e em conseqüência, depois de utilizarem o que necessitam, os átomos que expelem são exatamente os carregados com a energia rosada que as células do corpo físico humano necessitam. É o caso específico de árvores como o pinheiro e o eucalipto; e por isso, a proximidade dessas árvores transmite saúde e força aos que sofrem de falta dessa porção do princípio vital – as pessoas que chamamos de nervosas. São nervosas porque as células de seu corpo estão famintas, e o nervosismo só pode ser aliviado alimentado-as; e geralmente a forma mais rápida de fazer isso é oferecer-lhes do exterior o tipo específico de vitalidade de que necessitam.

O raio vermelho-alaranjado

O raio vermelho-alaranjado se dirige à base da coluna vertebral, e dali para os órgãos geradores, com os quais parte de sua atividade se relaciona. Esse raio inclui não apenas o vermelho-alaranjado e o vermelho escuro, mas também uma certa quantidade de púrpura escuro, como se o espectro se dobrasse num círculo e as cores recomeçassem numa oitava mais baixa.

No homem comum este raio estimula os desejos físicos, e também penetra no sangue, auxiliando a manter a temperatura do corpo; mas se a pessoa, com persistência, se nega a ceder à sua natureza inferior, esse raio pode, através de longo e deliberado esforço, ser desviado para cima, para o cérebro, onde seus três componentes sofrem uma notável modificação: o laranja se torna um amarelo puro, e intensifica muito os poderes do intelecto; o vermelho escuro se torna carmim, e melhora grandemente a qualidade do amor não-egoísta; e o púrpura se transmuta em um lindo violeta claro, e estimula a natureza espiritual da criatura. A pessoa que consegue essa transmutação verá que os desejos sensuais não a perturbam mais, e quando for preciso despertar os níveis superiores do fogo serpentino, estará livre dos riscos maiores desse processo. Quando a pessoa tiver completado essa mudança, o vermelho-alaranjado fluirá diretamente para a parte interna da coluna vertebral, em sua base, e daí subirá pelo centro até o cérebro.

Há uma certa correspondência (Tabela III) entre as cores das correntes do prana que fluem para os chacras e as cores indicadas pela sra. Blavatsky para os princípios do homem, em seu diagrama de *A Doutrina Secreta*, volume V, página 454 da 5ª edição de Adyar.

Tabela 3 — O prana e os princípios humanos			
Cores do prana	Chacra de entrada	Cores segundo a Doutrina Secreta	Veículos
Azul claro	Laringeo	Azul	Atma
Amarelo	Cardíaco	Amarelo	Buddhi
Azul escuro	Frontal	Índigo ou azul escuro	Manas superior
Verde	Umbilical	Verde	Kama Manas (Mental inferior)
Rosa	Esplênico	Vermelho	Kama Rupa (Astral)
Violeta	Coronário	Violeta	Duplo etérico
Vermelho alaranjado	Básico (depois, o coronário)	-	-

Os cinco *vayus* prânicos

Nas obras hindus se faz referência freqüente aos cinco principais *vayus* ou pranas. O *Gheranda Samhita* indica sua posição como segue:

O prana age sempre no coração; *apana*, na

área do ânus; *samana*, na região do umbigo; *udana*, na garganta; e *vyana* permeia todo o corpo.[1]

Muitas obras apresentam a mesma descrição, nada mais dizendo sobre suas funções, mas algumas acrescentam mais algumas informações, como:

> O ar chamado *vyana* abrange a parte essencial de todos os nervos. O alimento, assim que é ingerido, é dividido em dois por esse ar. Entrando próximo ao ânus, ele separa os sólidos e os líquidos; tendo colocado a água sobre o fogo, e os sólidos sobre a água, o próprio prana, colocando-se sob o fogo, o inflama lentamente. O fogo, inflamado pelo ar, separa as substâncias do resíduos. O *vyana* faz a essência mover-se por toda a parte, e os resíduos, empurrados através dos doze portais, são eliminados do corpo.[2]

Os cinco ares assim descritos parecem combinar com os cinco componentes da vitalidade que temos visto, conforme indicado na tabela 4:

Tabela 4 - **Os cinco vayus prânicos**		
Vayu e região envolvida	**Raio da vitalidade**	**Chacra diretamente afetado**
Prana: coração	Amarelo	Cardíaco
Apana: anus	Vermelho alaranjado	Básico
Samana: umbigo	Verde	Umbilical
Udana: garganta	Azul-violeta	Laríngeo
Vyana: o corpo todo	Rosa	Esplenico

---

1 OP. Cit. vv. 61-62, *Livros Sagrados das Séries Hindus*. Tradução de Sri Chandra Vidyarnava.
2 Garuda Purana, XV, 10-3. *Livros Sagrados das Séries Hindus*. Tradução de Wood.

A vitalidade e a saúde

O fluxo da vitalidade, com essas várias correntes, mantém a saúde das partes do corpo a que estão relacionadas. Se uma pessoa sofre de má digestão, isso torna-se evidente a qualquer um que possua visão etérica, porque o fluxo e a atuação da corrente verde estão lentos, ou sua quantidade é menor do que deveria. Quando a corrente amarela é abundante e forte, indica, ou mais exatamente resulta, em força e regularidade nos batimentos cardíacos. Fluindo do centro cardíaco, impregna também o sangue que passa por ali, e é levada com ele para todo o corpo. Mas ainda há quantidade suficiente para banhar o cérebro, e a força do pensamento filosófico e metafísico elevado depende em grande medida da quantidade e da atuação dessa corrente amarela, assim como o despertar da corola de doze pétalas no centro do chacra no alto da cabeça.

O pensamento e o sentimento de elevado teor espiritual dependem muito do raio violeta, enquanto a força do pensamento comum é intensificada pela ação do azul misturado com parte do amarelo. Em alguns tipos de retardo mental, o fluxo de vitalidade para o cérebro, dos raios amarelo e violeta azulado, acha-se quase totalmente ausente. A atividade e volume mais intensos do azul claro que é levado para o centro da garganta resultam na saúde e força dos órgãos físicos dessa região do corpo. Ele dá vigor e elasticidade às cordas vocais, e resulta no brilho e atuação especiais que se verificam em oradores e grandes cantores. A fraqueza ou enfermidade em qualquer parte do corpo é acompanhada pela deficiência no fluxo de vitalidade nessa região.

O destino dos átomos vazios

À medida que as diversas correntes de átomos executam sua tarefa, a carga de sua vitalidade se esgota, exatamente como faria uma carga elétrica. Os átomos que levam o raio rosa tornam-se gradualmente mais claros à medida que correm ao longo dos nervos, e finalmente são eliminados do corpo através dos poros – criando o que é denominado, na obra *O Homem Visível e Invisível*, a aura da saúde. Quando deixam o corpo, a maioria já perdeu o brilho rosado, portanto o tom geral dessa irradiação é um branco azulado.

A porção do raio amarelo que é absorvida pelo sangue e distribuída por ele perde sua cor característica da mesma forma.

Os átomos, quando esvaziados assim de sua carga de vitalidade, ou vão participar de alguma das reações constantemente produzidas pelo corpo, ou são eliminados pelos poros, ou pelos canais excretores normais.

Os átomos vazios do raio verde, que se relaciona principalmente com os processos digestivos, passam a fazer parte do material excretado normalmente pelo organismo, e são eliminados junto com ele, e esse é também o destino dos átomos do raio vermelho-alaranjado, no homem comum. Os átomos do raio azul, que são utilizados pelo centro da garganta, geralmente deixam o corpo com as exalações da respiração; e os que compõem os raios azul-escuro e violeta saem pelo centro do alto da cabeça.

Quando o estudante aprende a redirecionar os raios vermelho-laranja, fazendo com que subam pela coluna, os átomos vazios deles e os raios azul-violeta saem pelo alto da cabeça em uma cascata flamejante que, como já vimos na figura 2, é muitas vezes representada como uma chama nas estátuas antigas do Senhor Buda e de outros grandes santos. Esses átomos serão reutilizados como veículos físicos para as magníficas e benéficas energias que as criaturas altamente evoluídas irradiam do chacra coronário.

Quando esvaziados da força vital, os átomos se tornam outra vez iguais a todos os outros, exceto pelo fato de que evoluíram de alguma forma pelo uso que foi feito deles. O corpo os absorve na medida em que necessita, e passam a fazer parte das diversas combinações que permanentemente realiza, enquanto os outros, que não são necessários para esse fim, são eliminados pelos canais adequados.

O fato de a vitalidade fluir para um chacra, ou através dele, ou a intensificação desse fluxo, não deve ser confundido com o fenômeno do desenvolvimento do mesmo chacra, o que é totalmente diverso, e acontece pelo despertar dos níveis mais elevados do fogo serpentino, em um estágio mais avançado da evolução humana, de que trataremos no próximo capítulo.

Todos absorvemos a vitalidade e a especializamos, mas muitos não a utilizam integralmente, porque nossas vidas não são, em muitos aspectos, tão puras, saudáveis e justas como deveriam. A pessoa que torna seu corpo grosseiro pelo uso da carne, do álcool e do fumo, nunca poderá utilizar a força vital integralmente, como a que tem hábitos puros. Uma pessoa de hábitos impuros pode ser – e muitas vezes é – mais forte fisicamente que outras de vida mais pura; isso é conseqüência de seus respectivos carmas; mas se os outros fatores se equivalerem, a pessoa de vida mais pura leva imensa vantagem.

Todas as cores dessa vitalidade são etéricas, mas pode-se constatar que guardam certa analogia com o significado de cores semelhantes do corpo astral.

Obviamente, o pensamento e o sentimento corretos agem sobre o corpo físico e aumentam sua capacidade de assimilar a força vital necessária a seu bem-estar. Diz-se que o Senhor Buda declarou certa vez que o primeiro passo para o caminho do Nirvana era a perfeita saúde física; e certamente o modo de obtê-la é seguir o Nobre Óctuplo Caminho que ele ensinou. "Buscai primeiro o Reino de Deus e a sua justiça, e todas essas coisas vos serão acrescentadas" – sim, mesmo a saúde física.

Vitalidade e magnetismo

A vitalidade que corre ao longo dos nervos não deve ser confundida com o que geralmente chamamos de magnetismo humano – seu fluido nervoso, especializado no interior da coluna, é composto pela força primária misturada com a *kundalini*. É esse fluido que mantém a circulação permanente de matéria etérica ao longo dos nervos, correspondendo à circulação do sangue pelas artérias e veias; assim como o oxigênio é transportado pelo sangue a todas as partes do corpo, a vitalidade é levada ao longo dos nervos por essa circulação etérica.

As partículas da parte etérica do corpo humano acham-se em constante mudança, como as da parte densa; junto com o alimento que ingerimos e o ar que respiramos, absorvemos matéria etérica, e ela é assimilada pela parte etérica do corpo.

A matéria etérica é eliminada constantemente pelos poros, assim como a matéria em estado gasoso, e assim, quando duas pessoas se acham muito próximas, uma absorve inevitavelmente muito das emanações físicas da outra.

Quando uma pessoa hipnotiza outra, esse operador, por um esforço de vontade, reúne uma grande quantidade desse magnetismo e o coloca no *sujet*, retirando o fluido nervoso deste e substituindo-o pelo seu próprio. Como o cérebro é o centro dessa circulação nervosa, isso faz com que a parte do corpo do *sujet* que é afetada fique sob o controle do cérebro do hipnotizador, não mais do *sujet*, e portanto este passa a sentir o que o hipnotizador deseja. Se o magnetismo é retirado do cérebro do paciente e substituído pelo do operador, o primeiro só pode pensar e agir como este deseja que ele pense e aja; acha-se temporariamente dominado por completo.[3]

Mesmo quando o magnetizador está tentando curar, e transferindo energia para a pessoa, inevitavelmente passa, junto com a vitalidade, muito de suas próprias emanações. É óbvio que qualquer moléstia que ele tiver pode ser transferida para o paciente; e outra consideração, ainda mais importante, é que, embora sua saúde possa ser perfeita do ponto de vista médico, existem moléstias mentais e morais, como as físicas, e como matéria astral e mental é transferida para o paciente pelo hipnotizador, junto com a energia física, aquelas podem também ser passadas.

Contudo, uma pessoa de pensamentos puros e cheia de intenso desejo de ajudar os semelhantes pode muitas vezes fazer muito para aliviar o sofri-

---

[3] Sabe-se hoje, entretanto, que nenhum hipnotizador pode induzir o hipnotizado a fazer qualquer coisa que contrarie os seus verdadeiros princípios e lhe pareça inaceitável. Se tentar forçá-lo, ele despertará imediatamente, em geral tomado de "inexplicável" revolta (N.T.)

mento, através da hipnose, se se der ao trabalho de estudar este assunto das energias que ingressam no organismo através do chacras e fluem ao longo dos nervos.

O que é que o hipnotizador coloca em seu paciente? Pode ser tanto o fluido nervoso como a vitalidade, ou ambos. Imaginemos um paciente extremamente debilitado ou exausto, que perdeu a capacidade de elaborar o fluido vital para si próprio: o hipnólogo pode renovar-lhe as reservas colocando um pouco do seu próprio fluido nos nervos irritáveis, produzindo assim uma rápida recuperação. É um processo análogo ao que muitas vezes acontece no caso da alimentação. Quando alguém se encontra em certos estágios de debilidade, o estômago perde a capacidade de digerir, e o organismo não sendo alimentado adequadamente, a fraqueza aumenta. A solução, nesse caso, é oferecer ao estômago alimento já parcialmente digerido por meio da pepsina ou similares; então provavelmente se dará a absorção e o paciente se fortalecerá. Da mesma maneira, alguém que não consiga elaborar o fluido vital para si pode absorvê-lo de alguém que já o fez, e assim readquirir forças para retomar a atividade normal dos órgãos etéricos. Em muitos casos de debilidade, é somente isso que se faz necessário.

Há outros casos em que ocorre uma congestão: o fluido vital não circula adequadamente, e a aura dos nervos se mostra paralisada e doentia. A solução óbvia é substituí-la por fluido nervoso sadio do exterior; mas há diversas maneiras de fazer isso.

Alguns magnetizadores empregam a força, e derramam decididamente uma corrente de seu próprio fluido, esperando limpar o que deve ser retirado. Esse processo pode funcionar, embora gastando muito mais energia que o necessário. Um método mais científico é o que atua mais calmamente, e primeiro elimina a matéria congestionada ou enferma, e depois recoloca o fluido nervoso saudável, estimulando assim a corrente paralisada a funcionar. Se o paciente tiver uma dor de cabeça, por exemplo, é quase certo que haverá uma congestão de fluido nocivo em algum ponto do cérebro, e o primeiro passo é eliminá-lo.

Como se dá isso? Da mesma forma que se faz a doação de energia – pelo exercício da vontade. Não devemos esquecer que essas modalidades mais sutis de matéria são instantaneamente moldadas ou afetadas pela ação da vontade. O hipnotizador pode dar passes, mas serão, no máximo, como o apontar de uma arma em determinada direção, enquanto sua vontade é a pólvora que movimenta a bala e produz um efeito – e o fluido é o tiro.

Um hipnólogo que sabe o que faz pode atuar mesmo sem passes; conheci um que nunca os empregava, bastando-lhe olhar para o *sujet*. A única utilidade da mão é concentrar o fluido, e talvez auxiliar a imaginação do operador, pois para querer com intensidade ele precisa acreditar firmemente, e sem dúvida a ação torna mais fácil para ele conscientizar-se do que está fazendo.

Assim como se pode ofertar o magnetismo por um ato de vontade, pode-se dispersá-lo da mesma forma; e nesse caso, um gesto das mãos pode auxiliar também. Para tratar a dor de cabeça, o operador colocará as mãos sobre a testa do paciente, imaginando-as como esponjas que absorvem o magnetismo deletério do cérebro. Irá descobrir em seguida se está realmente produzindo o efeito que supõe, pois se não tomar providências para lançar fora o magnetismo nocivo que absorve, irá, ou sentir ele próprio uma dor de cabeça, ou sentir dores no braço ou mão com que trabalhou. Na realidade, ele está absorvendo em si a substância nociva, e é necessário para seu equilíbrio e bem-estar que se livre dela antes que se aloje permanentemente em seu organismo.

Portanto, deve adotar alguma providência para desembaraçar-se dela, e a forma mais simples é jogá-la fora, sacudindo-a das mãos como se fosse água. Embora não a veja, a matéria que removeu é física, e pode-se lidar com ela com meios físicos. É necessário, pois, que não dispense essas precauções, e não esqueça de lavar as mãos cuidadosamente depois de tratar de uma dor de cabeça ou qualquer outra moléstia análoga.

Depois de remover a causa do mal, deve colocar um intenso magnetismo saudável no lugar, e proteger o paciente do retorno do mal. Pode-se perceber que em caso de afecções nervosas, esse processo tem múltiplas vantagens. Na maioria desses casos, o problema é um desequilíbrio dos fluidos que correm ao longo dos nervos; ou estão congestionados ou paralisados, ou ao contrário, rápidos demais; podem ser em quantidade insuficiente, ou de má qualidade. Se forem tomados medicamentos, quando muito poderão agir sobre os nervos físicos, e através deles, de forma limitada, sobre os fluidos que os envolvem; enquanto a hipnose atua diretamente sobre os próprios fluidos, indo direto à causa do mal.

Capítulo 4

O desenvolvimento dos chacras

Além de manter a vida do veículo físico, os centros de força possuem outra função, que entra em atividade somente quando eles se acham totalmente despertos.

Cada um dos centros etéricos corresponde a um centro astral. Embora o chacra astral seja um vórtice em quatro dimensões, ele se encontra num nível bem diferente do etérico, e por conseguinte não coexiste com ele, apesar de algumas partes serem coincidentes. O vórtice etérico se acha sempre na superfície do corpo etérico, enquanto o chacra astral se acha geralmente no interior do corpo astral.

A função dos centros etéricos, quando plenamente desenvolvidos, é trazer para a consciência física as qualidades próprias dos centros astrais que lhes correspondem; portanto, antes de relacionar as conseqüências do despertar dos centros etéricos, seria bom analisar o que é realizado por cada um dos centros astrais, embora estes se achem em plena atividade em todas as pessoas cultas das últimas raças. Que conseqüências teve o despertar de cada um desses centros astrais no respectivo corpo?

Os centros astrais

O primeiro desses centros é, como já foi explicado, o assento do fogo serpentino. Essa energia existe em todos os planos, e é por meio dela que os demais centros são despertados. Devemos pensar que o corpo astral foi originalmente uma massa quase inerte, com apenas uma vaga consciência, sem capacidade de fazer nada, e nenhum conhecimento claro do mundo que o cercava. A primeira coisa que sucedeu, então, foi o despertar dessa força ao nível astral do ser humano. Ao ser desperta, ela se dirigiu para o segundo centro, que corresponde ao baço físico, e através dele vitalizou todo o corpo astral, permitindo à pessoa viajar conscientemente nele, embora até hoje guardando apenas uma vaga idéia do que encontra em suas incursões.

Depois dirigiu-se ao terceiro centro, que corresponde ao umbigo, e o vivificou, com isso despertando no corpo astral a capacidade de se tornar sensível a todo tipo de estímulos, embora ainda nada que lembrasse a compreensão clara que resulta da vista e da audição.

O quarto centro, ao ser desperto, conferiu ao

homem o poder de compreender e afinizar-se com as vibrações de outras entidades astrais, podendo entender instintivamente o que sentissem.

O despertar do quinto centro, que corresponde à garganta, deu-lhe o poder de ouvir no plano astral; ou seja, desenvolver aquele sentido que, no plano astral, produz em nossa consciência o efeito que no plano físico chamamos de audição.

O desenvolvimento do sexto centro, correspondente àquele entre as sobrancelhas, produziu de forma análoga a visão astral – a capacidade de perceber distintamente a forma e a natureza dos objetos astrais, em vez de sentir-lhes vagamente a presença.

O despertar do sétimo, no alto da cabeça, remata e completa a vida astral, e dota o homem da perfeição de suas faculdades.

Existe uma certa diferença no que tange a este centro, de acordo com o tipo da pessoa. Para muitos, os vórtices astrais que correspondem ao sexto e sétimo centros convergem ambos para a glândula pituitária, e para essas pessoas ela é praticamente a única ligação entre o plano físico e os outros mais elevados. Outro tipo de pessoas, embora vinculando o sexto centro à pituitária, curvam ou inclinam o sétimo até que seu vórtice coincida com a glândula pineal (figura 8), que é então estimulada e se torna um canal de comunicação direto com o mental inferior, sem passar pelo plano astral na forma comum.

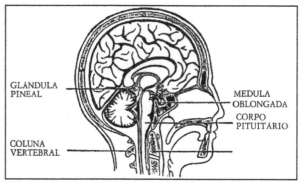

Figura 9 — O corpo pituitário e a glândula pineal.

Era sobre esse tipo de pessoas que a sra. Blavatsky escrevia, quando colocou uma ênfase no despertar dessa glândula. A dra. Besant também menciona o fato de que o ponto de partida do desenvolvimento se situa em diferentes níveis, de acordo com as diversas pessoas, na seguinte passagem da obra *A Study in Consciousness:*

> A construção dos centros e a estruturação gradual deles em chacras pode começar por qualquer veículo, e terá início, em cada indivíduo, por aquele corpo que representa o tipo específico de temperamento a que ele pertence.[1] Conforme a pessoa pertença a um ou outro temperamento será direcionada a maior atividade na construção de seus veículos, na gradual transformação deles em efetivos instrumentos da consciência para expressar-se no plano físico. Esse foco maior de atividade pode localizar-se no corpo físico, no astral, no mental inferior ou no superior. Em qualquer deles, ou mesmo num mais

---

[1] Possivelmente referindo-se à classificação indicada em *Os Sete Temperamentos Humanos*, de Geoffrey Hodson (N.T.).

elevado, esse foco se localizará no veículo correspondente ao tipo de temperamento, e dali irá operar "para cima" ou "para baixo", modelando os veículos para torná-los adequados à expressão desse temperamento.

Assim, os centros astrais de certa forma tomam o lugar de órgãos dos sentidos do corpo astral; embora, sem uma conceituação clara, essa expressão venha a se tornar positivamente enganosa, pois não se deve esquecer que embora seja preciso, para sermos entendidos, falar constantemente de visão ou audição astral, o que queremos indicar com esses termos é apenas a faculdade de responder às vibrações transmitidas à consciência do homem quando está funcionando em corpo astral – informações da mesma natureza que as transmitidas por seus olhos e ouvidos quando no corpo físico.

Nas condições totalmente diversas do astral, entretanto, não são necessários órgãos especiais para conseguir isso. Em todo o corpo astral existe matéria capaz de responder a isso, e em decorrência, a pessoa que está agindo nesse veículo enxerga igualmente bem os objetos atrás, acima e abaixo dela, sem necessidade de mover a cabeça.[2] Os centros astrais, portanto, não podem ser chamados de órgãos no sentido comum da palavra, já que não é através deles que o homem vê ou escuta, como os olhos e ouvidos. No entanto, a capacidade de exercer esses sentidos astrais depende do des-

---
2 Vide o cap. "O Sentido da Vista no Além" da obra *A Vida Além da Sepultura*, de Atanagildo/Ramatís, **EDITORA DO CONHECIMENTO**.

pertar desses centros; cada um que é desenvolvido confere a todo o corpo astral a capacidade de responder a uma nova série de vibrações.

De vez que todas as partículas do corpo astral ficam constantemente circulando e redemoinhando por ele como as da água fervendo, cada uma, por sua vez, passa através de cada um dos centros ou vórtices, portanto cada um deles desperta, em todas as partículas, a capacidade de responder a um determinado conjunto de vibrações; então, todos os sentidos astrais funcionam igualmente em todas as partes desse corpo. Contudo, mesmo quando esses sentidos astrais se acham totalmente despertos, não significa em absoluto que a pessoa seja capaz de trazer para o corpo físico alguma consciência de suas ações.

O despertar da Kundalini

Enquanto ocorria todo esse processo de despertamento no astral, o homem, em sua consciência física, não teve a menor noção disso. A única maneira de trazer essas conquistas para o corpo físico denso é imitando esse processo de despertamento com os centros etéricos. Isso pode acontecer de vários modos, de acordo com a escola de yoga que o estudante siga.

Na Índia, são reconhecidas sete escolas de yoga: 1 - Raja Yoga; 2 - Karma Yoga; 3 - Jnana Yoga; 4 - Hatha Yoga; 5 - Laya Yoga; 6 - Bhakti Yoga; 7 - Mantra Yoga.

Dei algumas informações sobre elas na segunda edição de *Os Mestres e a Senda*, e o professor Wood as descreveu extensivamente me sua obra: *Raja Yoga: The Occult Training of the Hindus*.

Todas essas escolas reconhecem a existência e a importância dos chacras, e cada uma possui seu próprio método para desenvolvê-los. O método da Raja Yoga é meditar sobre cada um deles e trazê-los à atividade por uma concentrada força de vontade – um método bastante recomendável.

A escola que dá mais atenção aos chacras é a Laya Yoga, e o seu método consiste em despertar os níveis mais elevados do fogo serpentino, e forçá-lo a passar pelos chacras um a um.

Esse despertar exige um esforço de vontade firme e contínuo, pois fazer o primeiro chacra entrar em plena atividade significa exatamente despertar os níveis internos do fogo serpentino. Quando isso acontece, sua tremenda energia vivifica os demais centros. O efeito disso, nos outros chacras etéricos, é trazer para a consciência física os poderes que foram despertados pelo desenvolvimento dos chacras astrais correspondentes.

O despertar dos chacras etéricos

Quando o segundo centro etérico, o esplênico, é despertado, o homem se torna capaz de recordar suas vagas viagens astrais, embora às vezes só de forma parcial. Em conseqüência de uma estimulação acidental deste centro, muitas vezes ocorre uma meia-lembrança de uma sensação agradável de estar voando.

Quando entra em atividade o terceiro centro, o umbilical, a pessoa principia a ter, mesmo no corpo físico, consciência das influências astrais, sentindo vagamente que algumas são amigáveis e outras hostis, ou que alguns lugares são agradáveis e outros não, sem saber o porquê.

A atuação do quarto centro, o cardíaco, torna a pessoa instintivamente consciente das alegrias e tristezas dos outros, e às vezes faz com que reproduza em si mesma, por empatia, suas dores e sofrimentos físicos.

O despertar do quinto centro, o da garganta, permite à pessoa ouvir vozes, que às vezes lhe fazem todo o tipo de sugestões. Às vezes também ouve música, ou outros sons menos agradáveis. Quando se encontra em plena atividade, torna o homem clariaudiente nos planos etérico e astral.

Quando o sexto, entre as sobrancelhas, entra em atividade, o homem começa a enxergar coisas – a ter visões, em vigília, de lugares e de pessoas. No início, quando o chacra está começando a despertar, muitas vezes não passam de visões fugazes de paisagens e nuvens de cor. O seu despertar completo produz a clarividência.

Este centro se relaciona também com outro tipo de visão. É através dele que se exerce a capacidade de ampliar objetos físico muito pequenos. Um minúsculo tubo flexível de matéria etérica se projeta do centro do chacra, como uma serpente microscópica com uma espécie de olho na extremidade. É o órgão específico utilizado para essa modalidade de clarividência, e o olho em sua extremidade pode se expandir ou contrair, e em decorrência adequar a ampliação de acordo com o tamanho do objeto em exame. É a isso que se referem as obras antigas quando falam do poder de o homem tornar-se grande ou pequeno à sua vontade. Para examinar um átomo, a pessoa cria um órgão de visão proporcional ao tamanho dele. Essa pequena serpente projetada do centro da testa era representada na coroa do faraó do Egito, o qual, como sumo-sacerdote do reino, deveria possuir este, entre muitos outros poderes ocultos.

Ao se ativar o sétimo centro, o homem se torna capaz de, passando através dele, deixar o corpo com plena consciência, e retornar sem a perda usual dela, e assim manter a consciência contínua, dia e noite. Quando o fogo serpentino passa através de todos os centros, em determinada ordem (que varia para diferentes tipos de pessoas), a consciência se torna contínua até a entrada no mundo celeste, ao final da vida no plano astral, sem alteração seja pela temporária separação do corpo físico durante o sono ou a separação definitiva por ocasião da morte.

Clarividência ocasional

Antes que isso aconteça, porém, a pessoa

pode ter relances do mundo astral, pois vibrações particularmente intensas podem, em alguns momentos, estimular um ou outro chacra a entrar em atividade temporária, sem que em absoluto esteja desperto o fogo serpentino; ou pode acontecer que esse fogo seja desperto parcialmente, e desse modo pode se produzir uma clarividência temporária. Esse fogo tem, como dissemos, sete camadas ou níveis de energia, e muitas vezes acontece de alguém que exerce sua vontade para despertá-lo atingir apenas um deles, e quando pensa que atingiu seu objetivo, verifica que não, e pode ter que recomeçar tudo muitas vezes, indo cada vez mais fundo, até que coloca em movimento não apenas o nível externo, mas o próprio centro do fogo serpentino, em plena atividade.

O perigo do despertar prematuro

Esse poder ígneo, como é chamado em *A Voz do Silêncio*, é verdadeiramente como um fogo líquido derramando-se pelo corpo, quando é despertado através da vontade; e o seu movimento se dá em espiral, como as roscas de uma serpente. Quando desperto, ele pode ser chamado de a Mãe do Mundo, num sentido diverso daquele que já mencionamos, porque por meio dele nossos diversos veículos podem ser ativados, e assim os planos mais elevados se abrem sucessivamente para nós.

Na pessoa comum, ele permanece adormecido na base da coluna, e sua presença não é notada durante toda a vida; e realmente, é muito melhor que permaneça adormecido até que a pessoa tenha adquirido determinado progresso moral, a sua vontade seja forte o bastante para controlá-lo, e seus pensamentos suficientemente puros para permitir o seu despertar sem causar danos. Ninguém deve lidar com ele sem orientação precisa de um instrutor que conheça integralmente o assunto, pois os perigos envolvidos são bem reais e terrivelmente sérios. Alguns são puramente físicos. O movimento descontrolado dessa força com freqüência produz intensa dor física, e pode facilmente romper tecidos e até acabar com a vida física. Contudo, esse ainda é o menor dos males que pode causar, pois pode produzir danos permanentes aos veículos superiores ao físico.

Uma das conseqüências comuns de seu despertar prematuro é que se dirija para baixo em vez de para cima, incitando com isso as paixões mais indesejáveis – excitando-as e intensificando-as a tal ponto que se torna impossível ao homem resistir-lhes, pois entra em ação uma força diante da qual ele fica tão indefeso quanto um nadador ante as mandíbulas de um tubarão.

Essas criaturas tornam-se sátiros, monstros de depravação, porque ficam sob o domínio de uma força desproporcional à resistência humana comum. É provável que venham a adquirir certos poderes supranormais, mas que os colocarão em contato com uma categoria de seres inferiores na escala evolutiva, com os quais a humanidade não deve manter relações, e livrar-se dessa terrível escravidão pode exigir mais de uma encarnação.

Não estou de maneira alguma exagerando o horror dessa situação, como poderia involuntariamente fazer alguém que meramente tivesse ouvido falar disso. Fui pessoalmente consultado por pessoas a quem sucedera essa terrível fatalidade, e vi com meus próprios olhos o que lhes aconteceu. Existe uma escola de magia negra que utiliza deliberadamente esse poder para com ele despertar determinado centro de força inferior, e que jamais é usado dessa forma pelos seguidores da Boa Lei.

Alguns autores negam a existência desse centro; mas brâmanes do Sul da Índia me garantiram que há certos yogues que ensinam seus discípulos a utilizá-lo – embora, claro, não necessariamente com maus propósitos. Mesmo assim, o risco é demasiado grande para valer a pena, quando se pode chegar aos mesmos resultados de maneira mais segura.

Mesmo fora desse risco maior, o desenvolvimento prematuro dos níveis mais elevados da *kundalini* traz muitas outras possibilidades desagradáveis. Intensifica tudo que existe na natureza humana, e as piores e mais baixas qualidades antes das boas. No corpo mental, por exemplo, desperta rapidamente a ambição, que aumenta de forma inacreditável. É como se produzisse um aumento da capacidade intelectual, mas ao mesmo tempo despertasse um orgulho anormal e satânico, inconcebível à pessoa comum.

Seria insensato a pessoa pensar que é capaz de lutar em pé de igualdade com qualquer força que desperte dentro de si; esta não é uma energia qualquer, é algo irresistível. Nenhuma pessoa sem orientação deveria jamais tentar despertá-la, e se alguém por acaso der-se conta de que foi despertada acidentalmente, deve de imediato consultar alguém que domine esse assunto.

Estou evitando deliberadamente dar qualquer explicação sobre como pode ser efetuado esse despertar, e tampouco indico a ordem em que essa energia (quando desperta) deve passar pelos diversos centros, pois isso só deve ser feito com a expressa orientação de um Mestre, que irá vigiar Seus discípulos durante as diversas fases do processo.

Gostaria de prevenir com a maior seriedade a todos os estudantes contra qualquer tentativa que seja no sentido de despertar essas tremendas forças, exceto sob essa orientação qualificada, pois já vi pessoalmente muitos casos das terríveis conseqüências da intromissão, de forma ignorante e imprudente, nesses assuntos sérios.

Essa energia é uma tremenda realidade, uma das maiores da natureza, e decididamente não é algo com que brincar, nem lidar despreocupadamente; lidar com ela sem compreendê-la é muito mais perigoso do que uma criança brincar com nitroglicerina. Como se diz com toda a razão no *Hathayoga Pradipika*: "Ela traz a liberação para os yogues e escravidão para os tolos".

Nesses assuntos, os estudantes com freqüência pensam que será feita uma exceção especial das leis da natureza em seu favor, que alguma intervenção especial da Providência os salvará das conseqüências de sua insensatez. Certamente nada disso irá acontecer; a pessoa que provoca deliberadamente uma explosão em geral é a primeira vítima dela. Evitaria muitos problemas e decepções se os estudantes compreendessem que em tudo que se refere ao ocultismo, aquilo que se diz é exata e literalmente o que se pretende dizer, e que isso se aplica a todo e qualquer caso, sem exceção. Não existe favoritismo na atuação das grandes leis universais.

Todos querem tentar o máximo de experiências possível; cada um se convence de que está pronto para receber os mais altos ensinamentos e qualquer tipo de desenvolvimento, e ninguém deseja trabalhar pacientemente para a melhoria de seu caráter, dedicando seu tempo e energias a realizar algo útil para o trabalho da Sociedade,[3] enquanto aguarda todas essas coisas, e que um Mestre lhe diga que está pronto para elas. Como afirmei no capítulo anterior, em outro contexto, o velho aforismo continua verdadeiro: "Buscai primeiro o reino de Deus e a Sua justiça, e todas

---
3 A Sociedade Teosófica (N.T.)

essas coisas vos serão acrescentadas".

O despertar espontâneo da Kundalini

Há casos em que as camadas internas desse fogo serpentino despertam espontaneamente, produzindo um brilho fraco; ele pode mesmo começar a mover-se por si, embora isso seja raro. Se acontecer, isso pode causar muita dor, pois como as passagens não estão preparadas, tem que abrir caminho literalmente queimando uma grande quantidade de escória etérica – um processo que só pode causar sofrimento. Quando ele desperta sozinho ou é despertado acidentalmente, em geral busca subir pelo interior da coluna, seguindo o caminho de sua modalidade menor e mais branda. Se possível, deve-se empregar a vontade para deter esse movimento de ascensão, mas se for impossível (o que é mais provável) não é preciso alarmar-se. Ele provavelmente irá atravessar a cabeça e se dissipar na atmosfera em torno, e é provável que não cause maior dano que uma ligeira fraqueza.

Não passará de uma temporária perda de consciência. O risco realmente temível não é de que suba, mas a possibilidade de que se volte para baixo e para dentro.

A principal função do fogo serpentino, no que tange ao desenvolvimento oculto, é de, sendo levado através dos centros de força do corpo etérico, como acima descrevemos, ativar esses chacras e permitir que sejam utilizados como portais ou conexões entre os corpos físico e astral. Em *A Voz do Silêncio*, é dito que quando o fogo serpentino alcança o centro entre as sobrancelhas e o desperta por completo, confere o poder de ouvir a voz do Mestre – o que significa, neste caso, a voz do ego ou eu superior. A razão é que quando a glândula pituitária é colocada em plena atividade, forma uma conexão perfeita com o veículo astral, de modo que, através dele, podem ser recebidas as comunicações dos planos internos.

Não apenas esse chacra, mas todos os centros de força mais elevados terão que ser despertos, e cada um deve responder a todos os estímulos dos diversos subplanos astrais.

Esse desenvolvimento chegará para todos, no devido tempo, mas a maioria das pessoas não o fará durante esta encarnação, se for a primeira em que começaram a ocupar-se seriamente desses assuntos. Alguns indianos conseguiram fazê-lo, porque seus corpos são hereditariamente mais adaptáveis que a generalidade das pessoas; mas, para a maioria, isso é trabalho para uma outra ronda.

O domínio do fogo serpentino tem que ser repetido em cada encarnação, já que os veículos são outros, mas quando tiver sido realizado plenamente, as repetições se tornarão fáceis.

Deve-se lembrar que sua atuação varia de acordo com os diversos tipos de pessoas; algumas, por exemplo, verão o eu superior em vez de ouvi-lo. Além disso, essa conexão com o mais alto tem vários estágios; para a personalidade, significa a influência do ego, mas para ele significa o poder da mônada, e para esta, por sua vez, significa tornar-se uma expressão consciente do Logos.

Minha experiência pessoal

Poderá ser útil relatar minha própria experiência do assunto. Quando residi na Índia, há 42 anos atrás, de início não fiz qualquer tentativa para despertar o fogo serpentino – na verdade, não sabia muito sobre ele, e era de opinião que para utilizá-lo era preciso ter nascido com um corpo com características psíquicas especiais, o que não era o meu caso. Um dia, porém, um dos Mestres sugeriu-me um determinado tipo de meditação capaz de despertar essa energia. Naturalmente, eu de imediato coloquei a sugestão em prática, e com o tempo, obtive êxito. Não tenho dúvida, entretanto, de que Ele observou a experiência, e me teria detido caso se tornasse perigosa. Disseram-me que existem ascetas indianos que ensinam isso a seus discípulos, sem dúvida supervisionando cuidadosamente o processo. Pessoalmente, porém, não conheço nenhum deles, e não teria confiança em nenhum, a não ser que fosse diretamente recomendado por alguém que eu soubesse possuir verdadeiro conhecimento.

As pessoas perguntam com freqüência o que eu lhes sugeriria fazer para despertar essa energia. Aconselho-as a fazer exatamente o que eu mesmo fiz. Recomendo que se dediquem ao trabalho teosófico e esperem até receber uma ordem expressa de algum Mestre, que se encarregará de orientar seu desenvolvimento psíquico, e nesse ínterim, continuem com os exercícios comuns de meditação que conhecem.

Não devem preocupar-se nem um pouco com se isso acontecerá nesta encarnação ou na próxima, mas encarar o assunto do ponto de visto do ego e não da personalidade, tendo absoluta certeza de que os Mestres estão sempre atentos àqueles a quem podem ajudar, que é totalmente impossível que alguém seja negligenciado, e que Eles inquestionavelmente darão Suas instruções quando entenderem que chegou o momento certo.

Nunca ouvi dizer que haja qualquer limite de idade para esse desenvolvimento, e não me parece que a idade faça qualquer diferença, desde que se tenha perfeita saúde; esta é necessária, porque somente um corpo resistente pode suportar o esforço, que é muito mais sério do que possa imaginar quem ainda não passou por isso.

Quando desperta, essa energia deve ser rigorosamente controlada, e deve ser levada através dos centros em uma ordem que varia de acordo com os tipos de pessoas. E o movimento, para ser eficaz, deve ser realizado de um modo específico, que o Mestre explicará quando chegar o momento.

A tela etérica[4]

Já mencionei que os centros astrais e etéricos acham-se estreitamente conectados; mas entre eles, e interpenetrando-os de uma forma que não é fácil de descrever, existe um revestimento ou tela compacta, formada por uma única camada de átomos físicos comprimidos e banhados por um tipo especial de força vital. A vida divina que desce normalmente do corpo astral para o físico é tão sintonizada que pode passar por essa tela com toda a facilidade, mas as energias que não podem utilizar a matéria atômica dos dois planos, encontram ali uma barreira. Essa tela é a proteção criada pela natureza para impedir que se abra prematuramente a comunicação entre os dois planos – algo que só pode produzir conseqüências danosas.

É ela também que, em condições normais, impede a recordação clara do que nos acontece durante o sono, e provoca a inconsciência momentânea que sempre ocorre por ocasião da morte. Se não fosse por essa misericordiosa precaução, a pessoa comum, que não conhece nada dessas coisas, e é totalmente despreparada para encará-las, poderia a qualquer momento ser levada, por uma entidade astral, a lutar com forças que estariam muito além de seu poder. Ficaria sujeita a ser constantemente obsidiada por qualquer ser do plano astral que quisesse tomar conta de seus veículos.

---

[4] Muitas vezes ela é citada sob o termo de "tela búdica", o que cria confusão, parecendo que se trata de uma estrutura do corpo búdico. (N.T.)

Compreender-se-á facilmente que qualquer dano causado a essa tela será um grande desastre. Isso pode acontecer de diversos modos, e cabe-nos fazer o possível para evitá-lo. Pode ocorrer por acidente ou por mau uso continuado. Qualquer choque intenso no corpo astral, como por exemplo um tremendo e repentino susto, pode rasgar essa delicada estrutura e, como se diz vulgarmente, levar a pessoa à loucura. (Há, sem dúvida, outras circunstâncias em que o medo pode produzir a insanidade, mas essa é uma delas). Uma terrível explosão de cólera também pode produzir o mesmo efeito. Na verdade, pode acontecer com qualquer emoção negativa desmesurada que cause uma espécie de explosão no corpo astral.

O efeito do álcool e das drogas

As práticas que podem afetar aos poucos essa teia protetora são de dois tipos – o uso de álcool e drogas, e a tentativa deliberada de abrir as portas que a natureza deixou fechadas, como no processo que é chamado na linguagem espírita de desenvolvimento.[5]

---

[5] A consulta à literatura espírita esclarecerá que, na realidade, o que se chama de "desenvolvimento mediúnico" não constitui uma tentativa de "abrir portas naturalmente fechadas". O médium chamado "de prova" – que traz essa condição (por ele mesmo pedida!) como uma forma de ressarcimento cármico e reequilíbrio, é alguém que *já reencarna* com seus chacras devidamente preparados, abertos ao contato com o mundo invisível, por uma intervenção técnica feita no Além – naturalmente incluindo a tela etérica - e por consentimento, é óbvio, dos Mestres Cármicos. O chamado desenvolvimento mediúnico é apenas um processo de treinar o médium para bem utilizar a faculdade com disciplina e equilíbrio. Não existe possibilidade de "desenvolver" uma pessoa que já não tenha mediunidade, e se ela existe, é imperativo utilizá-

Certas drogas e bebidas – especialmente o álcool e todos os narcóticos, inclusive o tabaco – contêm substâncias que ao se dissolverem se volatizam, e um pouco delas passa do plano físico para o astral (mesmo o chá e o café contêm essas substâncias, mas em quantidades tão ínfimas que os efeitos só se manifestam após longo e contínuo abuso delas).

Quando isso acontece, tais substâncias atravessam os chacras no sentido oposto ao natural, e pela repetição, vão danificando e finalmente destroem essa delicada tela. O estrago ou destruição dela pode se dar de duas formas diversas, de acordo com o tipo de pessoa e a quantidade das substâncias em seus corpos etérico e astral.

Na primeira, a passagem das substâncias volatilizadas literalmente queima a tela, deixando uma porta aberta para toda espécie de forças negativas e más influências. Na segunda, as substâncias volatilizadas, ao atravessarem a tela, enrijecem, por assim dizer, os seus átomos, de forma que sua vibração fica extremamente lenta e fraca, e não podem mais ser vitalizados pela energia específica que os une para constituir a tela. A conseqüência é uma espécie de ossificação da tela, e em vez de passarem coisas demais de um para outro plano, muito pouco pode atravessar.

Podemos perceber esses dois tipos de deterioração nas pessoas que cedem ao alcoolismo. Algu-

---

la, sob pena de, aí sim, o médium sujeitar-se a desequilíbrios e assédios do mundo invisível (além do fracasso na programação reencarnatória). (N.T.).

mas, que sofrem o primeiro tipo de defeito, caem no *delirium tremens*, na obsessão ou na insanidade; mas são relativamente raros. Muito mais comum é o segundo tipo – em que temos uma espécie de amortecimento geral do caráter, que resulta numa grosseira materialidade, brutalidade e animalidade, na perda dos sentimentos mais delicados e da capacidade de autocontrole. O homem não tem mais senso se responsabilidade; pode amar a mulher e os filhos quando está sóbrio, mas quando embriagado, usa o dinheiro que os iria alimentar para satisfazer seus desejos inferiores, e o amor e a responsabilidade parecem desaparecer por completo.

Esse segundo tipo se pode encontrar com freqüência entre os que são escravos do vício de fumar. Os efeitos dele são evidentes nos corpos físico, astral e mental. Envolve o homem, fisicamente, com partículas extremamente impuras, e emanações tão grosseiramente materiais que são geralmente perceptíveis ao olfato. Astralmente, não só conduz impurezas como tende a amortecer muitas vibrações, e é por isso que "acalma os nervos", como se costuma dizer. É claro, porém, que para o progresso oculto não desejamos vibrações amortecidas, nem o corpo astral sobrecarregado de partículas tóxicas. Necessitamos da capacidade de responder instantaneamente a todos os possíveis comprimentos de onda, e ao mesmo tempo manter um perfeito controle, para que nossos desejos sejam como corcéis dirigidos pela mente, para levar-nos aonde quisermos, não para arrastar-nos desenfreadamente, como o hábito de fumar, levando-nos a situações a que nossa natureza superior sabe que nunca deveria ceder.

As conseqüências disso após a morte também são das mais angustiosas; causa uma espécie de enrijecimento e paralisia do corpo astral, e durante muito tempo (semanas ou meses) a pessoa fica desamparada, inerte, pouco consciente, como fechada numa prisão, incapaz de se comunicar com os amigos, temporariamente isolada de todas as influências superiores.

Valerá a pena sofrer todas essas conseqüências por um insignificante prazer? Qualquer pessoa que pretenda realmente desenvolver seus veículos, despertar seus chacras, progredir na senda da perfeição, deve evitar cuidadosamente o fumo.

Todas as comunicações de um plano para outro deveriam ser feitas somente através dos subplanos atômicos, como já foi dito; mas quando ocorre esse processo de amortecimento, em seguida contamina não só a matéria atômica, mas também a do segundo e terceiro subplanos, e então a única comunicação que se dá entre o astral e o etérico é quando alguma força que atue nos subplanos inferiores (nos quais existem apenas influências inferiores e indesejáveis) é suficientemente forte para provocar uma resposta, pela violência de sua vibração.

A abertura das portas

Contudo, embora a natureza tenha essas precauções para proteger os chacras, não pretende em absoluto que eles permaneçam totalmente fechados para sempre. Existe uma forma adequada para abri-los. Talvez seja mais correto dizer que a intenção não é que as portas se abram mais do que já estão, mas que o homem se desenvolva para que possa transmitir muito mais por meio delas.

A consciência do homem comum ainda não consegue utilizar a matéria atômica pura nem no corpo físico nem no astral, e por isso não tem possibilidade de uma comunicação consciente, à sua vontade, entre os dois planos. A maneira correta de conseguir isso é purificar os dois veículos até que a matéria atômica de ambos seja inteiramente vitalizada, para que todas as comunicações entre esses corpos possa passar por ali. Dessa forma, a tela conserva integralmente sua posição e atividade, mas não constitui mais uma barreira para a comunicação integral, embora ainda continue a desempenhar seu papel de impedir o contato próximo entre os subplanos inferiores, o que permitiria a passagem de todas as influências indesejáveis.

É por isso que somos aconselhados sempre a aguardar o desabrochar dos poderes psíquicos até que apareçam no curso natural dos acontecimentos, em decorrência do desenvolvimento do caráter, e estudando os centros de força veremos que ocorrerá sem dúvida. Esse é o caminho natural da evolução; é o único modo realmente seguro, pois com ele o estudante obtém todos os benefícios e evita todos os perigos. Essa é a Senda que nossos Mestres trilharam no passado; portanto, deve ser a nossa hoje.

Capítulo 5

A Laya yoga

As obras hindus

Faz quase vinte anos que escrevi a maior parte do que consta sobre os chacras nas páginas anteriores, e naquela época eu tinha muito pouca familiaridade com a extensa literatura sobre o assunto existente em sânscrito. Dede então, porém, diversas obras importantes sobre os chacras foram traduzidas para o inglês, entre elas *The Serpent Power* (uma tradução de Arthur Avalon do *Shatchakra Nirupana*), *Thirty Minor Upanishads*, traduzidos por K. Narayana – Swami Aiyar, e *The Shiva Samhita,* traduzido por Sri Chandra Vidyarnava. Essas obras tratam extensivamente do tema específico dos chacras, porém há muitas outras que fazem referência a eles.

O livro de Arthur Avalon apresenta uma excelente série de ilustrações coloridas dos chacras, da forma simbólica em que são sempre representados pelos yogues hindus. Essa parte do conhecimento hindu está se tornando aos poucos conhecida no Ocidente; para auxiliar os leitores, tentarei a seguir dar um breve resumo dela.

A série hindu dos chacras

Os chacras mencionados nas obras sânscritas são os mesmos que ora indicamos, exceto pelo fato de que, como já foi dito, sempre substituem o chacra esplênico pelo chacra svadhishthana. Apresentam ligeiras diferenças entre si quanto ao número de pétalas, mas em geral coincidem conosco, embora, por algum motivo, não incluam o centro do alto da cabeça, limitando-se a seis chacras apenas, e chamando a esse de sahasrara padma – o lótus de mil pétalas. O chacra menor, de doze pétalas, dentro do chacra coronário, é conhecido por eles e mencionado vagamente. Quanto ao sexto chacra, indicam duas pétalas em vez de 96, mas não deixam dúvida quanto às duas porções deste centro referidas no capítulo I.

As discrepâncias em relação ao número de pétalas não são importantes; por exemplo, o *Yoga Kundalini Upanishad* fala de 16 pétalas no chacra cardíaco em vez de doze, e o *Dhyanabindu Upanishad* e o *Shandilya Upanishad* mencionam doze raios em vez de dez no chacra umbilical. Algumas obras referem também um outro chacra abaixo do coração,[1] e alguns outros entre o chacra frontal e o coronário, como de grande importân-

---
[1] Lalna, que é o chamado chacra do Mestre (N.T.).

cia. O *Dhyanabindu Upanishad* diz que o lótus do coração possui oito pétalas, mas sua descrição do uso desse chacra na meditação indica (como veremos depois) que se refere provavelmente ao chacra cardíaco subsidiário que mencionei acima.

Em relação às cores das pétalas também há algumas diferenças, como se verá na tabela 5, comparando-se algumas das obras principais com nossa própria série.

Não é de admirar que haja diferenças como essas, pois sem dúvida são variantes dos chacras de diferentes povos e raças, bem como das faculdades dos observadores. O que indicamos no capítulo 1 resulta de observações cuidadosas de alguns estudantes ocidentais, que tiveram a cau-

Tabela 5 — Cores das pétalas dos chacras				
Chacras	Nossas observações	Shatchakra Nirupana	Siva Samhita	Garuda Purana
1	Vermelho-alaranjado flamejante	Vermelho	Vermelho	-
2	Incandescente da cor do Sol	Vermelho	Vermelho	Da cor do Sol
3	Diversos tons de verde e vermelho	Azul	Dourado	Vermelho
4	Dourado	Vermelho	Vermelho escuro	Dourado
5	Azul-prateado	Púrpura escuro	Dourado brilhante	Cor da Lua
6	Amarelo e púrpura	Branco	Branco	Vermelho

tela de comparar suas anotações e verificar o que tinham percebido.

Os desenhos dos chacras feitos pelos yogues hindus para uso de seus discípulos são sempre simbólicos, e não têm qualquer relação com o verdadeiro aspecto do chacra, exceto pelo fato de que geralmente procuram indicar a cor e o número de pétalas.

No centro dessas imagens encontram-se uma forma geométrica, uma letra do alfabeto sânscrito, um animal e duas divindades, uma masculina e outra feminina. Na figura 9 oferecemos uma reprodução da imagem do chacra cardíaco retirada da obra de Arthur Avalon, *The Serpent Fire*. Tentaremos explicar o significado dos diversos símbolos

As imagens dos chacras

O objetivo da Laya ou Kundalini Yoga é o mesmo que o de qualquer forma de yoga indiana: unir a alma a Deus; e para esse fim são necessários sempre três tipos de realização – do amor, do pensamento e da ação. Embora em determinada escola de yoga se utilize especialmente a vontade (como nos ensinos dos Yoga Sutras) e em outra se ensine o amor intenso (como nas instruções dadas por Sri Krishna a Arjuna no *Bhagavad Gita*), contudo sempre se afirma que se deve progredir nos três sentidos.

Assim, Patanjali oferece ao candidato, de início, um processo de *tapas* ou práticas de purificação, *svadhyaya* ou estudo das coisas espirituais, e *Ishvara pranidhana*, ou devoção contínua a Deus.

Sri Krishna, de forma análoga, depois de explicar a seu discípulo que a sabedoria é o mais valioso instrumento de serviço e a maior oferenda que alguém pode fazer, acrescenta que ela só pode ser adquirida através da devoção, da investigação e do serviço, e conclui com as significativas palavras: "Os sábios, aqueles que vêem a verdade, ensinar-te-ão a sabedoria".

Em *Aos Pés do Mestre*,[2] que é a mais moderna versão dos ensinamentos orientais, aparece a mesma triplicidade, pois as qualificações incluem discriminação, boa conduta e amor a Deus, ao Guru ou Mestre, e aos homens.

Para compreender os diagramas dos chacras que são utilizados pelos yogues indianos, deve-se ter em mente que eles são feitos para auxiliar o aspirante nesses três aspectos da evolução.

É preciso que ele adquira o conhecimento acerca da constituição do universo e do homem (o que hoje chamamos de Teosofia) e que desenvolva uma profunda e sólida devoção pela adoração do Divino, enquanto trabalha para despertar os níveis internos da *kundalini* e conduzi-la (pois sempre se fala dessa energia como de uma divindade feminina) num movimento através dos chacras.

---
[2] Autoria de Alcione, que foi Krishnamurti, Editora Pensamento (N.T.).

Como se visa a esses três objetivos, encontramos em cada chacra alguns símbolos que se referem ao conhecimento e à devoção e não se deve considerar como partes essenciais ou atuantes do chacra. Nos rituais – ou práticas coletivas de yoga – da Igreja Católica Liberal, encontramos um exemplo ocidental das mesmas coisas. Ali se tenta ao mesmo tempo estimular a devoção e transmitir o conhecimento espiritual durante as práticas mágicas inerentes aos ritos.

Devemos lembrar também que, no passado, os yogues que vagavam pelas florestas ou ali moravam tinham pouco acesso mesmo aos livros escritos em folhas de palmeira da época, e portanto necessitavam de auxílios para a memória como os que são oferecidos por muitos desses símbolos. Eles sentavam às vezes aos pés de seus gurus; e depois, poderiam recordar e recapitular os conhecimentos teosóficos que recebiam nessas ocasiões, com a ajuda das "notas" oferecidas por essas figuras.

O chacra cardíaco

Não seria possível aqui tentarmos dar uma explicação completa da simbologia de todos os chacras; é suficiente que indiquemos a interpretação provável daquela relativa ao chacra cardíaco ou Anahata, que nossa figura representa.

Uma das maiores dificuldades que se nos apresenta é o fato de que existem diversas interpretações da maioria desses símbolos, e de que os

Figura 9 — Diagrama hindu do chacra cardíaco.

yogues indianos têm uma atitude de impenetrável reticência diante do investigador, uma relutância pétrea a partilhar seu conhecimento e idéias com qualquer um que não seja o discípulo que se coloca na condição de aprendiz, com o objetivo expresso de se dedicar totalmente ao trabalho com a Laya Yoga, e decidido, se necessário, a passar a vida nessa tarefa, a fim de obter êxito.

Esse chacra é descrito nos versos 22-27 do *Shatchakra Nirupana,* que Arthur Avalon traduziu e sintetizou da seguinte forma:

O Lótus do Coração é da cor da flor *bandhuka* (vermelho), e em suas doze pétalas encontram-se as letras *ka* e *tha*, com o *bindu* acima delas, de cor vermelha. Em seu centro está a *vayu-mandala* hexagonal, de cor escurecida, e acima dela *surya-mandala*, com a *trikona* resplandecente como se houvesse dez milhões de raios brilhando dentro dela. Acima, o *vayu bija*, de cor escura, sentado sobre um antílope negro, com quatro braços e segurando o aguilhão *(ankusha)*. Em seu colo está *Isha*, o de três olhos. Como *Hamsa (Hamsabha)* seus dois braços estão estendidos num gesto de conceder bênçãos e dissipar o medo. Na parte central desse lótus, sentada sobre um lótus vermelho, está a shakti Kakini. Ela tem quatro braços, e segura o laço *(pasha)*, o crânio *(kapala)* e faz os sinais de bênção *(vara)* e de afastar o medo *(abhaya)*. Ela é de cor dourada, vestida com um traje amarelo, usando todos os tipos de jóias, e uma guirlanda de ossos.

Seu coração é abrandado pelo néctar. No centro do *trikona* está Shiva sob a forma de um *vana-linga*, com a meia-lua e o bindu em sua cabeça. Ele é de cor dourada. Parece alegre e com um intenso desejo. Abaixo dele está Jivatma como Hamsa. É como a serena chama cônica de uma lâmpada.

Abaixo da corola desse lótus está o lótus vermelho de oito pétalas, invertido. Nesse lótus é que se encontra a árvore *kalpa*, o altar adornado de jóias que tem acima um toldo e é decorado com bandeiras e similares, e que é local da adoração mental.[3]

As pétalas e as letras

As pétalas de todos esses lótus (chacras), como vimos, são produzidas pela energia primária, que se irradia para o interior do corpo ao

---

[3] *The Serpent Power*, Arthur Avalon, 2ª Ed., p.64

longo dos raios da roda. O número de raios é determinado pelo número de faculdades da energia que entra em cada chacra.

Neste caso temos doze pétalas, e as letras que lhes são atribuídas evidentemente simbolizam uma determinada porção da força criadora total, ou força de vida, que penetra no organismo. As letras aludidas vão de *ka* a *tha*, em sequência, no alfabeto sânscrito.

Tabela 6 — Alfabeto sânscrito								
16 vogais								
a	â	i	ï	u	ü	ri	rï	Iri	Irï
e	aí	o	au	ṁ	h				
33 consoantes								
Guturais	k	kh	g	gh	n		
Palatais	ch	chh	j	dh	n		
Cerebrais	t	th	d	jh	n		
Dentais	t	th	d	dh	n		
Labiais	p	ph	b	bh	m		
Semivogais	y	r	l	w			
Sibilantes	sh	sh	s				
Aspiradas	h							

Esse alfabeto é extraordinariamente científico. Não temos nada semelhante nas línguas ocidentais – e suas 49 letras são geralmente colocadas em forma de tabela, acrescentando-se *ksha* a fim de completar o número necessário para as 50 pétalas dos seis chacras.

Para os objetivos da yoga, considera-se que esse alfabeto inclui a totalidade dos sons humanos, e que é, do ponto de vista da fala, uma expressão material do som criador do universo. Como a palavra sagrada Aum (cujo som principia no fundo da garganta com a, atravessa o meio da boca com o u, e termina nos lábios com o m), representa a palavra criadora, e portanto, um conjunto de poderes.

As letras se relacionam como segue: as dezesseis vogais com o chacra laríngeo, do *ka* ao *tha* com o cardíaco, do *da* ao *pha* com o umbilical, do *ba* ao *la* com o segundo chacra, e do *va* ao *sa* com o primeiro. *Ha* e *ksha* se relacionam com o chacra ajna, e o *sahasrara* ou chacra coronário abarca todo o alfabeto repetido vinte vezes.

Parece não existir uma razão definida para essas relações das letras com determinados chacras, porém à medida que ascendemos na série dos chacras deparamos com maior número de poderes. Pode ser que os criadores da Laya Yoga conhecessem em detalhes esses poderes e tivessem usado as letras para nomeá-los, assim como usamos letras para indicar os ângulos na geometria, ou as partículas radioativas.

A meditação sobre essas letras evidentemente diz respeito à conquista do "som interior que mata o exterior", para usar uma expressão de *A Voz do Silêncio*.

A meditação científica dos hindus começa

com a concentração num objeto imaginado, ou num som, e apenas quando a mente consegue se fixar com firmeza nisso o yogue prossegue para a realização superior. Assim, ao meditar sobre um Mestre, primeiro ele retrata sua forma física, depois tenta sentir as emoções do Mestre, entender Seus pensamentos etc.

Quanto aos sons, o yogue busca passar do exterior, do som como o conhecemos e articulamos, às qualidades e poderes internos dele, o que auxilia sua consciência a passar de um plano a outro. Pode-se imaginar que Deus criou os diversos planos recitando o alfabeto e que nossa palavra seja a expressão última dessa espiral.

Nessa escola de yoga o aspirante busca a absorção no interior, ou laya, para retornar por esse caminho e assim aproximar-se do Divino. Em *Luz do Caminho* somos induzidos a escutar a canção da vida, e tentar alcançar seus tons ocultos ou mais elevados.

As mandalas

A mandala hexagonal ou anel que ocupa o centro do lótus do coração é considerada um símbolo do elemento ar. Diz-se que cada chacra se relaciona especificamente com um dos elementos, terra, água, fogo, ar, éter e mente. Deve-se entender esses elementos como estados da matéria, não como elementos no sentido em que se usa o termo na química moderna. Equivalem aos termos sólido, líquido, ígneo, gasoso, aéreo e etérico, e são de certa forma análogos aos subplanos e planos – físico, astral, mental etc.

Esses elementos são representados por certos *yantras* ou diagramas de sentido simbólico, que constam no *Shatchakra Nirupana* como a tabela a seguir (tabela 7), e aparecem dentro da corola do lótus.

Às vezes encontramos, nas cores constantes dessa tabela, o vermelho-alaranjado substituido pelo amarelo, o esfumaçado pelo azul, e o branco pelo preto no quinto chacra, embora se explique que o preto significa índigo ou azul escuro.

Tabela 7 — Formas simbólicas dos elementos			
Chacra	Elemento	Forma	Cor
1	Terra	Quadrado	Amarelo
2	Água	Meia lua	Branco
3	Fogo	Triângulo	Vermelho claro
4	Ar	Dois triângulos entrelaçados (hexágono)	Esfumaçado
5	Éter	Círculo	Branco
6	Mente	-	Branco

Pode parecer estranho ao leitor ocidental que a mente seja colocada entre os elementos, mas não para o hindu, pois a mente é considerada por ele apenas como um instrumento da consciência. Os hindus olham para as coisas de um ponto de vista mais elevado, e muitas vezes parece ser a partir da visão da mônada.

Por exemplo, no capítulo sétimo do *Gita*, Sri Krishna diz: "Terra, água, fogo, ar, éter, *manas, buddhi* e *ahamkara* – essas são as oito divisões de minha manifestação *(prakriti)*". Mais tarde ele se refere a essas oito como "minha manifestação inferior".

Esses elementos estão associados à noção dos planos, como já mencionamos, mas não parece que os chacras estejam diretamente relacionados com eles. Com certeza, porém, quando o yogue medita sobre esses elementos e os símbolos que estão relacionados a eles em cada chacra, lembra-se do esquema dos planos. Pode também utilizar essa forma de meditação como um meio de elevar seu centro de consciência do plano em que esteja atuando naquele momento, até o sétimo ou mais elevado, e através dele a algo ainda maior.

Além da possibilidade de atingir um plano mais alto em plena consciência, temos aqui um meio de elevar a consciência para que possa sentir a influência de um mundo superior, e receber as impressões do mais alto. A energia ou influência que é recebida e sentida constitui, sem dúvida, o "néctar" de que fala a obra, e da qual iremos falar mais ao tratar da subida da kundalini desperta ao chacra mais elevado.

Em *Nature's Finer Forces*,[4] Pandit Rama Prasad apresenta um cuidadoso estudo das razões das formas geométricas desses *yantras*. Sua explicação é

---
[4] Op.cit., p. 2 e segs, esgotado.

extensa demais para reproduzir aqui, mas podemos resumir algumas de suas idéias principais.

Ele afirma que, assim como existe um éter luminoso, que é o condutor da luz até nossos olhos, também existe um tipo específico de éter para os outros tipos de sensação – o olfato, o paladar, o tato e a audição. Esses sentidos se relacionam com os elementos representados pelos *yantras* – o olfato com o sólido (quadrado), o paladar com o líquido (meia-lua), a visão com o gasoso (triângulo), o tato com o ar (hexágono), e a audição com o etérico (círculo). A propagação do som, diz Pandit, se dá em círculo, irradiando-se em torno; portanto, o círculo é o quinto chacra. A luz se propaga em forma triangular, afirma ele, pois um determinado ponto da onda luminosa se desloca para a frente e também em ângulo reto com essa direção, e portanto, ao completar seu deslocamento terá descrito um triângulo; portanto o triângulo é o terceiro chacra. Ele sustenta que o tato, o paladar e o olfato provocam movimentos no éter, e dá as razões para as formas que são associadas a eles nos respectivos chacras.

Os animais

O antílope, pela leveza de seu passo, é um símbolo adequado do elemento ar, e o *bija* ou mantra-semente (o som em que se manifesta a energia que governa este elemento) é *yam*. O som dessa palavra começa com a letra y, mais a vogal neutra a (como o "a" de "Índia"), e depois um som nasal semelhante ao do francês. O til sobre a letra representa este som, e nele se acha a divindade que se adora neste centro – Isha, o de três olhos.

Os outros animais são o elefante, associado à terra devido a sua corpulência, e com o éter por causa de sua capacidade de sustentação; o *makara* ou crocodilo que simboliza a água, no segundo chakra; e o carneiro (naturalmente considerado um animal agressivo) no terceiro chakra. O yogue pode, para determinados fins, imaginar-se sentado nesses animais e usando o poder que suas qualidades representam.

As divindades

Existe uma bela idéia em alguns desses mantras, que podemos exemplificar com a bem conhecida palavra sagrada *Om*. É dito que consiste de quatro partes – a, u, m, e *ardhamatra*. Há uma referência a ela em *A Voz do Silêncio*, que diz:

> E então poderás repousar entre as asas da Grande Ave. Sim, doce é repousar entre as asas daquele que nunca nasce nem morre, mas é Aum por toda a eternidade.

E a sra. Blavatsky, em uma nota sobre isso, refere-se à Grande Ave como:

> Kala Hamsa, a ave ou cisne. Diz o Nadavindu-Upanishad (*Rig Veda*) traduzido pela Sociedade Teosófica de Kumbakonam – 'A letra

A é considerada a asa direita da ave Hamsa. U é a esquerda, M sua cauda, e o *ardhamatra* a cabeça.

O yogue, depois de chegar à terceira letra em sua meditação, passa para a quarta, que é o silêncio. Neste silêncio ele pensa na divindade.

As divindades relativas aos diversos chacras variam em diferentes obras. Por exemplo, o *Shatchakra Nirupana* coloca Brahma, Vishnu e Shiva respectivamente no primeiro, segundo e terceiros chacras, e depois deles diversas formas de Shiva, mas o *Shiva Samhita* e algumas outras obras mencionam Ganesha (o filho de Shiva de cabeça de elefante) no primeiro chakra, Brahma no segundo e Vishnu no terceiro. Parece que as diferenças se devem à seita do devoto.

Aqui temos, como divindade feminina, junto com Isha, a *shakti* Kakini. *Shakti* significa poder ou força. O poder do pensamento é uma *shakti* da mente. Em cada um dos seis chacras há uma dessas divindades femininas – Dalini, Rakini, Lakini, Kakini, Shakini e Hakini – que alguns identificam com as forças que regem os diversos *dhatus* ou substâncias corporais.

Neste chakra, Kakini está sentada num lótus vermelho. Diz-se que possui quatro braços (quatro poderes ou funções). Com duas mãos ela faz o sinal de abençoar e dissipar os temores, como Isha; nas outras duas empunha o laço (uma outra forma da cruz *ankh* ou egípcia) e uma caveira (simbolizando, sem dúvida, a natureza inferior vencida).

A meditação corporal

Às vezes as meditações indicadas para os chacras o são também para o corpo em geral, como na seguinte citação do *Yogatattva Upanishad*:

> Existem cinco elementos, terra, água, fogo, ar e éter. No corpo, eles se concentram de cinco formas. Dos pés aos joelhos é a região da terra; tem quatro lados, é de cor amarela e tem a letra *La*. Levando a respiração com a letra *La* ao longo da região da terra (dos pés até os joelhos) e contemplando Brahma de quatro faces e de cor dourada, deve-se meditar ali...
> A região da água estende-se dos joelhos ao ânus. A água tem a forma de meia-lua e é de cor branca, e tem *Va* como *bija* (semente). Levando a respiração com a letra *Va* ao longo da região da água, deve-se meditar sobre o deus Narayana, com quatro braços e uma coroa da cabeça, da cor do puro cristal, vestido de trajes cor de laranja e que nunca se deteriora.
> Do ânus ao coração é a região do fogo. O fogo tem a forma triangular, a cor vermelha, e a letra *Ra* como *bija* ou semente. Levando a respiração, que fica resplandecente com a letra *Ra*, ao longo da região do fogo, deve-se meditar sobre Rudra, o de três olhos, que realiza todos os desejos, que é da cor do sol do meio-dia, recoberto inteiramente de cinzas sagradas, e de aspecto satisfeito.
> Do coração ao centro das sobrancelhas é a região do ar. O ar tem a forma hexangular, a cor preta, e brilha com a letra *Ya*. Levando a respiração ao longo da região do ar, deve-

se meditar sobre Ishvara, o onisciente, com rostos de todos os lados...

Do meio das sobrancelhas ao alto da cabeça é a região do éter; ele tem forma circular, cor escura, e brilha com a letra *Ha*. Levando a respiração ao longo da região do éter, deve-se meditar sobre Sadashiva da seguinte forma – o que causa felicidade, no formato do bindu (uma gota) como o Grande Deva, com a forma do éter, brilhante como puro cristal, tendo a lua crescente na cabeça, com cinco rostos, dez mãos e três olhos, de aparência satisfeita, trazendo todas as armas, adornado com todos os ornamentos, com a deusa Uma em metade de seu corpo, pronto a conceder favores, e causa de todas as causas.

Isso, de certa forma, confirma nossa idéia de que em alguns casos os princípios que são propostos para nossa meditação se aplicam a partes do corpo unicamente para auxiliar a memorização, não com o objetivo específico de atuar sobre elas.

Os Nós

No centro do lótus do coração figura o *trikona* ou triângulo invertido. Não aparece em todos os chacras, somente no básico, no cardíaco e no frontal. Nesses três existem *granthis* ou nós, através dos quais a kundalini deve passar no curso de seu trajeto.

O primeiro é às vezes chamado de nó de Brahma; o segundo, o de Vishnu; o terceiro, o de Shiva.

O significado desses símbolos é que o trânsito por esses chacras implica numa mudança de estado especial, possivelmente da personalidade para o eu superior e depois para a mônada – os quais esses Aspectos regem. Entretanto, pode ser também que se refira a um significado secundário, pois temos observado que o chacra cardíaco recebe influência do astral superior, o chacra laríngeo do mental, e assim por diante. Em cada triângulo a deidade é representado como o *linga*, ou instrumento de união. O *jivatma* (literalmente "ser vivente") apontando para cima "como a chama de uma lâmpada" é o ego, figurado como uma chama serena provavelmente porque ele não é perturbado pelos incidentes da vida material, como a personalidade.

O lótus secundário do coração

O pequeno lótus secundário que figura logo abaixo do chacra cardíaco é específico deste centro. É utilizado como um lugar de meditação sobre a forma do guru ou o Aspecto da Divindade que atrai especialmente o devoto ou é indicado para ele. Aqui, ele imagina uma ilha de pedras preciosas, com belas árvores e um altar para o culto, que é descrito assim pelo *Gheranda Samhita*:

> Que ele contemple o oceano de néctar em seu coração; no meio dele há uma ilha de pedras preciosas, cuja areia é feita de diamantes e rubis pulverizados. Por toda a parte dela há árvores *kadamba*, carregadas de perfumadas flores; próximo a elas, como uma proteção, árvores floridas tais como

malati, mallika jati, kesara, champaka, parijata e padma, e a fragrância delas se espalha ao redor, por toda parte. No meio desse jardim, o yogue deve imaginar uma formosa árvore *kalpa*, com quatro galhos, representando os quatro Vedas, repleta de flores e de frutos. Insetos zumbem ali e cucos cantam. Sob essa árvore, deve imaginar uma rica plataforma de pedras preciosas, e nela um rico trono incrustado de jóias, e nele sentada sua divindade particular, como lhe ensinou o seu Guru. Que ele contemple da forma adequada os ornamentos e o veículo dessa divindade.

O devoto usa sua imaginação para criar essa formosa cena tão vividamente que fique envolvido em seu pensamento e, enquanto isso, esqueça o mundo exterior completamente. Contudo, o processo não é totalmente imaginário, porque constitui um meio de conseguir um contato constante com o Mestre. Assim como as imagens de pessoas criadas por alguém que esteja no mundo celeste após a morte são vivificadas pelos egos dessas pessoas, o Mestre também enche com Sua presença real a forma de pensamento produzida por seu discípulo. Através dessa forma, podem ser transmitida a inspiração e às vezes instruções.

Um exemplo interessante disso foi dado por um idoso senhor hindu que vivia como yogue em uma aldeia do distrito de Madras, que dizia ser discípulo do Mestre Morya. Quando o Mestre estava viajando pelo Sul da Índia anos atrás, visitou a aldeia onde vivia aquele homem. Ele se tornou seu discípulo, e dizia que não tinha perdido seu Mestre depois da partida dele, pois costumava aparecer-lhe com freqüência e instruí-lo através de um centro no seu interior.

Efeitos da meditação no coração

O *Shiva Samhita* descreve como segue os benefícios que são obtidos pelo yogue com a meditação sobre o centro cardíaco:

> Ele recebe incontável conhecimento, conhece o passado, o presente e o futuro; tem clariaudiência, clarividência e pode andar pelo ar quando quiser.
> Ele enxerga os adeptos, e as deusas conhecidas como *yoguinis*; conquista o poder conhecido como *khechari*, e domina as criaturas do ar.
> Aquele que contempla diariamente o *banalinga* oculto sem dúvida obtém os poderes psíquicos chamados *khechari* (andar no ar) e *bhuchari* (deslocar-se à vontade pelo mundo todo).[5]

Não é necessário comentar essas poéticas descrições dos diversos poderes; o estudante lerá nas entrelinhas. Contudo, pode haver algum sentido literal nessas descrições; há muitas maravilhas na Índia – os misteriosos poderes dos que andam sobre o fogo, e a extraordinária habilidade hipnótica de alguns encantadores que realizam o famoso truque da corda[6] e fatos semelhantes.

---

5 Shiva Samhita, V, 86-88.
6 Provavelmente refere-se à apresentação de alguns faquires que sobem por uma corda estendida verticalmente no ar, presa a nada, e que se costuma atribuir à hipnose coletiva (N.T.)

Kundalini

Os yogues indus, aos quais se destinavam as obras que nos chegaram às mãos, não estavam muito interessados nos aspectos fisiológicos e anatômicos do corpo, e sim na prática da meditação e no despertar da *kundalini*, com o objetivo de elevar sua consciência ou atingir os planos superiores. Pode ser por esse motivo que pouco ou nada se diz, nas obras em sânscrito, sobre os chacras da superfície do duplo etérico, e muito sobre os centros situados no interior da coluna e sobre a passagem da *kundalini* através deles.

A *kundalini* é descrita como uma *devi* ou deusa luminosa como o raio, que permanece adormecida no chacra básico, enrolada como uma serpente três vezes e meia em torno do *svayambhu linga* que ali se encontra, e fechando a entrada de *sushumna* com a cabeça.

Nada se diz sobre o fato de que os níveis externos dessa energia se acham atuantes em todas as pessoas, mas isso é indicado na afirmação de que mesmo quando dorme ela "sustenta todas as criaturas vivas". Ela é descrita como o *shabda Brahman* no corpo humano. *Shabda* significa palavra ou som; temos aí, portanto, uma alusão ao Terceiro Aspecto do Logos. No processo de criação do universo diz-se que esse som foi produzido em quatro etapas; é provável que não estejamos muito errados ao associá-las à nossa concepção ocidental dos três aspectos — corpo, alma e espírito, e um quarto que é a união com o Divino.

O despertar da kundalini

O objetivo dos yogues é despertar a porção adormecida da *kundalini*, e fazê-la se elevar gradualmente no canal *sushumna*. Diversos métodos são apontados para esse fim, como uso da vontade, formas especiais de respiração, mantras, e diversas posturas e movimentos. O *Shiva Samhita* indica dez *mudras* que afirma serem os melhores para atingir esse objetivo, a maioria dos quais incluem todas essas técnicas juntas. Ao escrever sobre os efeitos de um desses métodos, Avalon descreve assim o despertar dos níveis internos da *kundalini*:

> O calor do corpo então se torna extremo, e a kundalini, sentindo-o, desperta de seu sono, como a serpente que é tocada por um bastão silva e se estira. Depois penetra no *sushumana*.[7]

Diz-se que em alguns casos a *kundalini* pode ser despertada não pela vontade, mas também por acidente – por um golpe ou por uma pressão física. Soube de um exemplo disso que se passou no Canadá. Uma senhora, que não tinha o menor conhecimento desses assuntos, caiu na escada do porão de sua casa. Ficou inconsciente por algum tempo, e quando acordou, percebeu que se tornara clarividente, capaz de ler os pensamentos de outras men-

[7] *The Serpent Fire.*

tes, e enxergar o que se passava em todos os aposentos de sua casa; e isso se tornou permanente. Supõe-se que ao cair, a senhora tenha recebido um golpe na base na coluna, exatamente no ponto e do jeito que colocou a kundalini em atividade parcial; naturalmente, pode ter sido um outro chacra que foi estimulado artificialmente.

Por vezes os livros recomendam a meditação sobre os chacras sem o despertar prévio da kundalini. É o que parece nos seguintes versículos do *Garuda Purana*:

> *Muladhara, Svadhishtana, Manipuraka, Anahatam, Vishuddhi* e também *Ajna* são os seis chacras.
> Deve-se meditar nos chacras, pela ordem, em Ganesha, Vidhi (Brahma), Vishnu, Shiva, Jiva, no Guru, e em Parabrahman, o que tudo penetra.
> Tendo praticado a adoração mental em todos os chacras, com a mente imperturbável, deve-se repetir o *ajapa-gayatri* de acordo com as instruções do Mestre.
> Deve-se meditar no *randhra*, com o lótus de mil pétalas invertido, sobre o abençoado Mestre dentro do *hamsa*, cuja mão de lótus liberta do temor.
> Deve-se ver o próprio corpo banhado na corrente de néctar que brota de seus pés. Tendo adorado dos cinco modos, prostrar-se e louvá-lo.
> Deve-se então meditar sobre a *kundalini* movendo-se para cima e para baixo, passando pelos seis chacras, enrolada em três e meia voltas.
> E então meditar sobre Sushumna, que sai do *randhra*; assim se chega ao estado mais elevado de Vishnu.[8]

---
8 Op. cit., XV, 72, 76, 83-87.

A ascensão da kundalini

Os livros mais sugerem que explicam o que acontece quando a *kundalini* sobe pelo canal de *Sushumna*.

Referem-se à coluna vertebral como *merudanda*, o bastão de Meru, "o eixo central da criação", presume-se que do corpo. Ali, dizem, existe o canal chamado *sushumna*, dentro dele um outro chamado *vajrini*, e dentro deste um terceiro chamado *chitrini*, que é "tão fino quando uma teia de aranha". Nele estão colocados os chacras, "como nós de uma vara de bambu".

A *kundalini* sobe por *chitrini* pouco a pouco à medida que o yogue emprega sua vontade na meditação. Da primeira vez ela pode não ir muito longe, mas na seguinte irá um pouco além, e assim por diante. Quando atinge um dos chacras ou lótus ela o atravessa, e a corola que antes se inclinava para baixo, volta-se para cima. Quando termina a meditação, o candidato conduz a *kundalini* novamente pelo mesmo caminho até o chacra *muladhara*; mas em alguns casos ela é levada apenas até o chacra cardíaco, e ali penetra no que é chamado sua câmara.[9] Diversas obras dizem que a *kundalini* reside no chacra umbilical; nunca a percebemos ali nas pessoas comuns, mas essa afirmação pode referir-se aos que já a despertaram antes, e por isso têm uma espécie de resíduo do fogo serpentino naquele centro.

---

9 Vide *A Voz do Silêncio*, Fragmento 1.

Explicam que à medida que a *kundalini* entra e sai de cada chacra no decurso de sua subida, por meio da meditação, ela coloca em estado de latência (daí o termo *laya*) as funções psicológicas de cada centro. Em cada chacra que penetra ela o vivifica, mas como sua meta é alcançar o mais elevado, continua subindo até atingir o *sahasrara*, o chacra coronário. Ali, como dizem as descrições simbólicas, ela desfruta a bênção da união com seu senhor, Paramashiva; e quando faz o caminho de retorno, ela devolve a cada chacra suas faculdades peculiares, porém muito intensificadas.

Tudo isso se dá num processo de transe parcial pelo qual todo aquele que medita necessariamente passa, pois ao concentrarmos a atenção num objetivo elevado, deixamos temporariamente de prestar atenção aos sons e movimentos que nos cercam.

Avalon diz que geralmente leva anos, desde que se começa a prática da meditação, até levar a *kundalini* ao *sahasrara*, o chacra coronário, embora em casos excepcionais possa ser feito em menos tempo. Com a prática torna-se mais fácil o processo, e uma pessoa treinada, diz-se, pode fazer subir e descer a *kundalini* no decurso de uma hora – tendo, é claro, liberdade para mantê-la o tempo que quiser no chacra coronário.

Alguns autores dizem que, à medida que a *kundalini* vai subindo pelo corpo, a parte que fica para trás torna-se fria. Sem dúvida, é o que acontece naqueles casos especiais em que um yogue se coloca em transe por longos períodos, mas não é o que se verifica nas práticas comuns com a *kundalini*.

Em *A Doutrina Secreta*, a sra. Blavatski cita o caso de um yogue que foi encontrado em uma ilha próxima de Calcutá, em torno de cujos membros haviam crescido as raízes das árvores. Diz que ele foi retirado dali, e no afã de acordá-lo causaram tantos danos a seu corpo que ele morreu. Ela menciona também um yogue próximo de Allahabad que – por razões que ele sem dúvida sabia bem – permanecia há 53 anos sentado sobre uma pedra. Seus *chelas* ou discípulos o banhavam no rio todas as noites e o recolocavam de volta, e durante o dia às vezes sua consciência retornava ao plano físico, e então falava de ensinava.[10]

O objetivo da kundalini

Os versos finais do *Shatchakra Nirupana* descrevem belamente o final da ascensão da *kundalini*:

> A *Devi* que é *Shuddha-sattva* atravessa os três *lingas*, e tendo alcançado todos os lótus que são conhecidos como os Brahma-nadi, resplandece ali na plenitude de seu brilho. E então, em seu estado sutil, é refulgente como o raio e fina como a fibra de lótus. Atinge Shiva, o que é brilhante como a chama, a suprema bem-aventurança, e num instante produz a bênção da Libertação.
> A formosa *kundalini* bebe o excelente néctar que verte de Parashiva, e retorna dali, onde resplandece a eterna e transcendente

---
10 Op. cit., vol. V, p. 544.

felicidade, pela senda de *kula*, e penetra no *muladhara*. O yogue que conquistou a serenidade mental faz oferendas (*tarpana*) a Ishta-devata e aos Devatas dos seis chacras, a Dakini e outros, com aquela corrente de néctar celeste que se acha no vaso de Brahmanda, o conhecimento que ele obteve através da tradição dos gurus.

Se o yogue, devoto aos pés de lótus de seu Guru, com o coração imperturbável e a mente concentrada, ler este livro, que é a suprema fonte do conhecimento da Libertação, e é irrepreensível, puro e altamente secreto, então com certeza sua mente dançará aos pés do seu Ishta-devata.[11]

Conclusão

Assim como nós, os hindus afirmam que os resultados da Laya Ioga podem ser atingidos com os métodos de todos os sistemas de yoga. Nas sete escolas hindus, e entre os estudantes ocidentais, todos os que adquirem o entendimento correto visam ao objetivo supremo do esforço humano, aquela liberdade que é ainda maior que a libertação, pois abarca não somente a união com Deus, nos reinos mais elevados, além da manifestação terrena, como também a conquista daqueles poderes, em cada plano, que tornam o homem um *Adhikari Purusha*, um ministro ou obreiro a serviço do Divino, na tarefa de erguer os milhões de seres humanos sofredores para a glória e a felicidade que a todos nós aguardam.

OM, AIM, KLIM, STRIM

---
11 Op. cit., vv. 51, 53, 55.

A Consciência do Átomo
ALICE BAILEY
Formato 14 x 21 cm • 128 p.

A ciência é capaz de desvendar-nos partes da realidade, nichos ou fatias do universo material. Somente a visão abrangente e profunda da Sabedoria Milenar traz o conhecimento da estrutura global do Universo, e, mais que isso, de seu propósito.

Alice Bailey, fundamentada na ciência secreta imemorial – ensinada em todas as escolas iniciáticas do planeta –, mas tomando como matéria-prima as noções modernas da física atômica, empreende nesta obra a inigualável tarefa de desvendar-nos essa estrutura e funcionamento ocultos do Universo.

Do átomo ao arcanjo – que começou sendo átomo –, há no organismo cósmico uma interação, uma interdependência, uma unidade magnífica e funcional. Os caminhos esplendorosos da evolução da consciência seguem um esquema em que cada núcleo de consciência, seja um átomo ou um sol, passando pelo ser humano enquanto cresce na direção do maior que o abrange, lhe serve de célula ou componente.

As descobertas, sobretudo da física quântica recente, nada mais fizeram que corroborar essa anatomia e fisiologia do Cosmo, de que Alice Bailey conseguiu esboçar uma síntese precisa. Contudo, esta não é uma obra destinada aos cientistas ou familiarizados com os domínios da física, mas sim ao leitor comum, que poderá desvendar os segredos da constituição íntima do organismo universal, de que, como átomos humanos, somos constituintes.

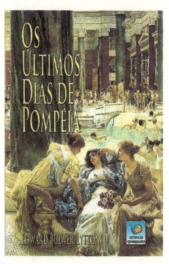

Os Últimos Dias de Pompéia
EDWARD BULWER-LYTTON
Formato 14 x 21 cm • 512 pp.

Em meio à tragédia que se abate sobre a cidade de Pompéia no ano de 79 d.C., quando as lavas do adormecido Vesúvio ressurgem petrificando para sempre o cotidiano e as riquezas de seus habitantes (aliás, uma alegre e imponente engrenagem de prazer!), ganha vida a atribulada história de amor entre o rico ateniense Glauco e a bela napolitana Ione. O romance surge num ambiente marcado pela inveja e pela maldade de Arbaces, cujo gélido semblante parece entristecer o próprio Sol. A qualquer preço o astuto mago egípcio pretende possuir sua jovem tutelada, e acaba por envolvê-la num plano sórdido e macabro que choca pela crueldade.

Pontuada por intrincados lances de puro lirismo, fé e feitiçaria, a trama envolve ainda os primórdios do cristianismo, que busca se afirmar numa cultura marcada pelo panteísmo e pela selvageria das arenas e sua sede de sangue.

Narrado brilhantemente por Edward Bulwer-Lytton, numa perspectiva presente, este instigante romance histórico, aqui condensado em um único volume, revela que a eterna busca do homem pelos valores superiores ultrapassa a própria História e até as grandiosas manifestações da natureza.

Com toda certeza, *Os Últimos Dias de Pompéia* é obra de enorme valor literário que vai conquistar o leitor brasileiro, assim como ocorreu em inúmeros países onde foi traduzido e se fez best-seller.

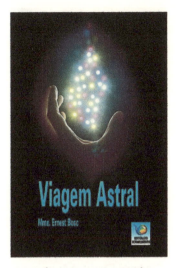

Viagem Astral
MME. ERNEST BOSC
Formato 14 x 21 cm • 256 pp.

Antes do advento do espiritismo, em meados do século XIX, as referências sobre a vida após a morte só eram encontradas nos livros de ocultismo e magia, estudados nos fechados círculos das escolas iniciáticas. Posteriormente, as novelas esotéricas, que se assemelhavam aos romances espiritualistas atuais, utilizaram-se dos termos e conhecimentos da teosofia, e, com suas fortes e ricas narrativas, contrubuíram sobremaneira para divulgar os mistérios do "outro lado da vida".

O lançamento do *Livro dos Espíritos* acabou por popularizar o tema, favorecendo a edição das demais obras. Foi então que se percebeu a similaridade de idéias altruístas entre as novelas esotéricas e a literatura espírita: a natureza humana é retratada em suas diversas facetas com um realismo impressionante, em que o teatro da vida não consegue esconder o que se situa por trás da mascara das personalidades; a ausência das camadas de verniz da hipocrisia revela características surpreendentes de pessoas "acima de quaisquer suspeitas", numa época em que os aspectos exteriores equilibram os relacionamentos humanos.

Estes e outros enfoques são encontrados em *Viagem Astral*, onde exemplos de outra época se mostram tão presentes em nossa realidade. A descrição dos cenários astrais e o relacionamento entre os que ali convivem são retratados detalhadamente nesta obra, e ainda vemos o poder das forças negativas, que, por meio dos magos negros e seus asseclas, influenciam a sociedade em seus vários segmentos, tirando proveito do excesso de materialismo em que está mergulhado o homem. Belíssima obra!

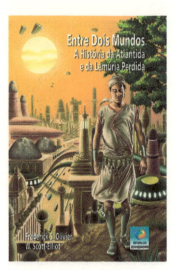

Entre Dois Mundos
A História da Atlântida e da Lemúria Perdida
FREDERICK S. OLIVIER / W. SCOTT-ELLIOT
Formato 14 x 21 cm • 288 pp.

Entre as civilizações perdidas do planeta, não há outra que desperte mais fascínio que a Atlântida, seguida de perto pela Lemúria.

Esta obra contém dois livros que constituem a mais autêntica e fascinante descrição, já reunida, da Atlântida. Não se trata de pesquisas convencionais, ou especulações, mas de depoimentos reais de um clarividente de reconhecida seriedade, e de um ex-habitante de Poseidônis, a última ilha atlante.

O texto de W. Scott-Elliot é um clássico: o mais abrangente e esclarecedor sobre a totalidade da civilização atlante, a quarta raça-raiz planetária. Sua descrição das sub-raças, suas características, localização e expansão; a cronologia exata, pela primeira vez devidamente esclarecida, dos quatro sucessivos afundamentos do continente atlante; os mapas que caracterizam cada um dos períodos respectivos; as migrações que vieram a originar culturas tão diversas como a dos egípcios, gregos, maias, incas, peles-vermelhas, e as inúmeras informações sobre a magia e a decadência daquela grande raça etc., tudo permite qualificá-lo como o painel definitivo mais importante da literatura espiritualista sobre a civilização atlante. O autor é um clarividente inglês reconhecido no meio teosófico, e sua pesquisa foi feita diretamente nos registros akáshicos (a memória da natureza), uma garantia de autenticidade e sobriedade.

O texto do espírito Phyllos traz o depoimento real e emocionante de um atlante da última fase; um habitante de Poseidônis que relata suas aventuras e desventuras, amores e dramas em paralelo à mais precisa e detalhada descrição do último reino atlante – seus costumes, tecnologia, sistema educacional e político, arquitetura e urbanismo, espiritualidade, naves aéreas, suas colônias americanas – e sua decadência e catástrofe derradeira. Essa obra, inspirada a um jovem sensitivo de 17 anos, tornou-se um clássico da literatura da nova era de língua inglesa, e pela primeira vez surge no Brasil.

As Vidas de Alcyone
C. W. LEADBEATER E ANNIE BESANT
Formato 14 x 21 cm • 416 p.

Acompanhar por mais de 70 mil anos a trajetória evolutiva de um espírito e de sua família espiritual é feito inédito na literatura de resgate de vidas passadas. As 48 encarnações daquele que foi, no século XX, Krishnamurti são relatos autênticos que Leadbeater e Annie Besant, dois famosos clarividentes, leram nos indestrutíveis registros akáshicos (as memórias da natureza). Aventuras perigosas, histórias românticas, gestos heróicos e resgates pungentes, transcorridos em cinco continentes, conduzem Alcyone à sua trajetória de crescimento interior. Reencarnando entre atlantes, civilizações perdidas da América, sacerdotes da Luz e canibais selvagens remanescentes da magia lemuriana e das primeiras raças planetárias, sábios, letrados e soldados, em corpos masculinos e femininos, ele faz desfilar diante de nós o panorama de dezenas de civilizações ancestrais.

Alcyone participa de cultos e crenças dos mais variados povos, vê surgir religiões, renasce primo de Zoroastro e o auxilia em sua doutrina, torna-se seguidor do Buda e o acompanha, antes de tornar-se discípulo aceito de seu mestre, no século XX. A seu lado, quase sempre estão grandes seres que viriam a ser mestres de sabedoria.

Mas o atrativo maior desta obra é constituir-se no único registro conhecido e detalhado da formação da raça ariana – a quinta raça planetária. Com Alcyone, a acompanhamos passo a passo, desde seus primórdios, quando o dirigente da raça escolheu seus primeiros componentes, de origem atlante, e os foi selecionando século após século, aprimorando-os genética, espiritual e materialmente, até conduzi-los em migrações épicas para a Índia, de onde os árias se derramaram pelo Irã, Ásia Menor e Grécia, e chegaram à Europa, seu território de ação. É a nossa própria história, o nascimento da civilização atual, que reconheceremos nesta epopéia fascinante, sem paralelo na literatura ocultista.

O Homem Visível e Invisível
C. W. LEADBEATER
Formato 14 x 21 cm • 112 p.

Desde a mais remota antiguidade, foi ensinado pelos instrutores da humanidade que o homem possui outros veículos de consciência que vão além dos corpos físicos. Contudo, a excepcional faculdade de clarividência e o vasto conhecimento do estudioso inglês C.W. Leadbeater nos permitiram ter acesso a um dos mais completos estudos – senão o melhor –, sobre os corpos invisíveis do homem, sua aparência, sua constituição, bem como as modificações neles processadas no decurso da evolução humana.

Mesmo autor de *Formas de Pensamento*, Leadbeater alicerça este estudo descrevendo os diversos planos da existência e sua correlação com os corpos do homem. Analisa de forma lúcida a visão clarividente; mostra como se efetua o magno processo da criação, as três emanações divinas e o surgimento e a evolução do espírito humano. Acrescenta ainda um extraordinário capítulo sobre as almas-grupo dos animais, descrevendo tão magistralmente o seu processo de individualização que nem mesmo aos leitores iniciantes restará qualquer dúvida.

Valendo-se de suas ricas observações obtidas pela visão mais elevada, Leadbeater descreve os veículos internos do homem e os efeitos neles causados pelas mais diversas emoções, analisando o significado das cores impressas na aura da saúde. Com clareza e precisão didática, detalha como se apresentam à visão clarividente os corpos do homem primitivo, do homem comum, do evoluído e do iniciado – a tudo ilustrando com imagens coloridas altamente instrutivas.

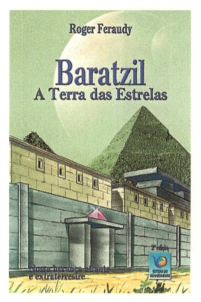

Baratzil - A terra das estrelas
ROGER FERAUDY
Formato 14 x 21 cm • 336 p.

Por que razão o povo brasileiro é tão místico e possui uma familiaridade natural com o Invisível? Por que o Brasil é um país rico em todas as correntes espiritualistas? Por que possuímos uma noção coletiva de país predestinado?

É o que a fantástica revelação deste livro explica, por meio da consulta aos registros invisíveis autênticos. A história ancestral da Terra das Estrelas (o Brasil) e da América do Sul é o que desvenda as raízes *espirituais* do povo brasileiro, e seu destino de nação líder da Espiritualidade da Nova Era.

Uma avançada civilização, desenvolvida pelos mestres extraterrenos da Lemúria e Atlântida, semeou no território brasileiro, em era remota, as magníficas cidades do Império de Paititi, Itaoca e Ibez, e da Terra das Araras Vermelhas. Essas culturas fizeram evoluir as raças então existentes, pela manipulação genética, e desenvolveram seus poderes psíquicos. Com isso, foram preparadas, no inconsciente desses egos, as sementes da nova raça futura do Terceiro Milênio.

Dessa época remota datam as verdadeiras raízes da Umbanda que, pela primeira vez, são desveladas em detalhe: como essa velha magia branca dos Templos da Luz atlantes, com a contribuição africana, foi colocada a serviço da humanidade pelos Dirigentes Planetários, e seu papel na Espiritualidade da Nova Era. Desvenda também a verdadeira identidade de seus líderes espirituais que se ocultam atrás das formas de caboclos e pretos velhos.

Formas de Pensamento
C. W. LEADBEATER
Formato 14 x 21 cm • 112 p.

"Este é o manual de conhecimento oculto mais necessário a todos os estudantes. Se assimilado por todos os humanos do planeta, mudaria o mundo para melhor", foi dito sobre a obra Formas de Pensamento. De fato, nada mais importante que as criações vivas e atuantes de nossas formas mentais, como influência individual e coletiva. "Os pensamentos são coisas", diz o antigo aforismo oriental. Leadbeater e Annie Besant nos confirmam isso, ao compartilhar com os leitores as imagens reais percebidas nos planos invisíveis, por sua avançada clarividência, e demonstrar as leis que regem a produção dessas formas coloridas e dinâmicas que nos cercam permanentemente, modelando o nosso carma.

A clareza didática com que esses autores apresentam temas de elevada transcendência oculta, analisando a formação e constituição de formas de pensamento das mais diversas qualidades, nos permite compreender profundamente o funcionamento de nosso mundo interno e a atuação do pensamento criador do ser humano. Lâminas coloridas de grande beleza e precisão ilustram as formas resultantes de pensamentos de amor e ódio, devoção e ciúme, auxílio e temor, depressão e alegria, e muitos outros, com cores e formatos que obedecem a leis definidas.

Por suas preciosas informações, Formas de Pensamento, único em seu gênero na literatura espiritualista ocidental, vem encantando e auxiliando leitores, de forma transparente e acessível, a ponto de ser considerado um indispensável manual de aprimoramento evolutivo para aqueles que anseiam por verdadeiras mudanças.

OS CHACRAS
foi confeccionado em impressão digital, em janeiro de 2025
Conhecimento Editorial Ltda
(19) 3451-5440 — conhecimento@edconhecimento.com.br
Impresso em Luxcream 80g, StoraEnso